GRAMMAR **POINT 15**

고등 영어 어법 서술형

Features

≫ 고등학교 영어 어법의 핵심 **GRAMMAR POINT 15개** 제시

GRAMMAR POINT

- 고등학교 영어 · 영어 I · 영어 II 교과서의 핵심 어법**을 키워드로 정리**
- **실제 교과서와 학력평가에서 엄선한 예문으로 어법 개념 확인**

❶ 출제 FOCUS **GRAMMAR POINT별 시험에 가장 자주 출제되는 어법 · 서술형 문제 유형** 정리

어법 확인 연습

❷ GRAMMAR POINT별 개념(왼쪽 페이지)과 **일대일 대응 문제로 이해도 확인**

❸ **개념 확인**과 **오류 수정**을 통해 어법 개념 완벽 이해

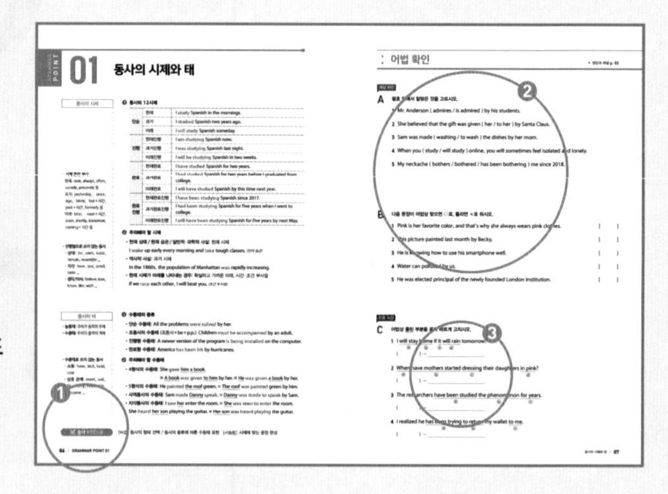

서술형 연습

- **각 GRAMMAR POINT에서 내신 시험 출제 가능성 높은 서술형 문제 연습**

❶ 대표 유형 **내신 기출 문제를 기반으로 엄선한 서술형 문제를** 풀이 방법과 함께 제시하여 대표 유형 완벽 대비

❷ **대표 유형 연습** 문제 풀이

❸ **빈출 유형 연습** 문제 풀이

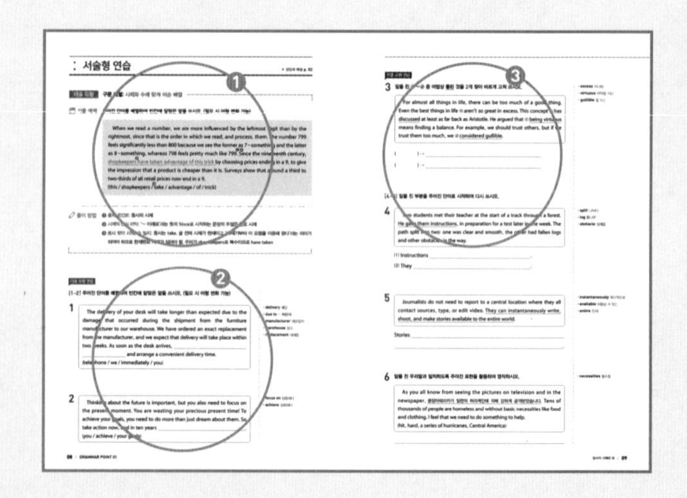

내신 대비 문제

• 내신 시험 유형 문제 풀이

❶ 내신 기출 유형을 기반으로 한 종합적 어법 문제 풀이

❷ 학력평가 기출 지문을 활용한 서술형 문제 풀이

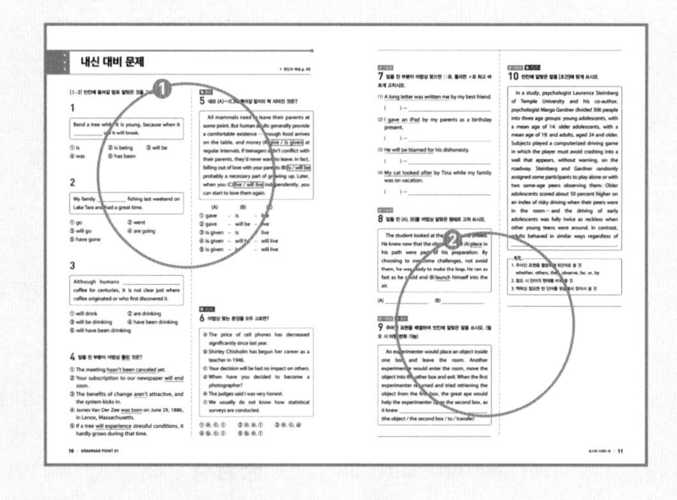

정답과 해설

• 문제 해결 포인트를 족집게처럼 짚어낸 간단하고 명료한 해설

• 문제 풀이의 추가 정보를 제시한 [TIP]

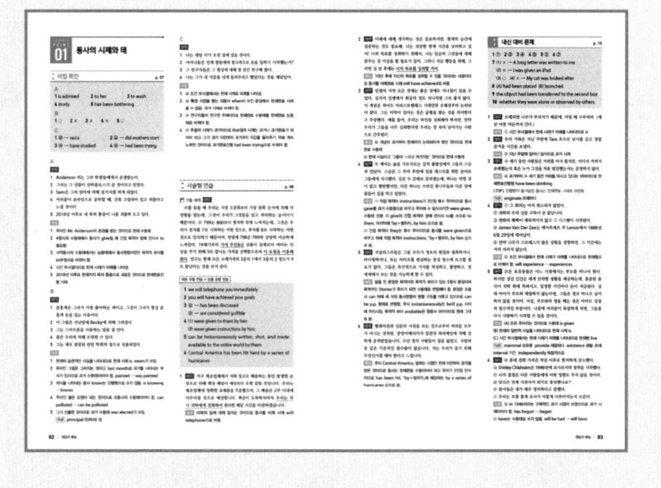

Contents

GRAMMAR POINT

01 동사의 시제와 태

동사의 시제

• 시제 관련 부사
현재: now, always, often, usually, presently 등
과거: yesterday, once, ago, lately, last+시간, past+시간, formerly 등
미래: later, next+시간, soon, shortly, tomorrow, coming+시간 등

• 진행형으로 쓰지 않는 동사
- 상태: be, own, exist, remain, resemble ...
- 지각: hear, see, smell, taste ...
- 생각/의식: believe, love, know, like, wish ...

❶ 동사의 12시제

단순	현재	I **study** Spanish in the mornings.
	과거	I **studied** Spanish two years ago.
	미래	I **will study** Spanish someday.
진행	현재진행	I **am studying** Spanish now.
	과거진행	I **was studying** Spanish last night.
	미래진행	I **will be studying** Spanish in two weeks.
완료	현재완료	I **have studied** Spanish for two years.
	과거완료	I **had studied** Spanish for two years before I graduated from college.
	미래완료	I **will have studied** Spanish by this time next year.
완료진행	현재완료진행	I **have been studying** Spanish since 2017.
	과거완료진행	I **had been studying** Spanish for five years when I went to college.
	미래완료진행	I **will have been studying** Spanish for five years by next May.

❷ 주의해야 할 시제

• **현재 상태 / 현재 습관 / 일반적·과학적 사실:** 현재 시제
I **wake** up early every morning and **take** tough classes. 〈현재 습관〉
• **역사적 사실:** 과거 시제
In the 1860s, the population of Manhattan **was** rapidly increasing.
• **현재 시제가 미래를 나타내는 경우:** 확실하고 가까운 미래, 시간·조건 부사절
If we **race** each other, I will beat you. 〈조건 부사절〉

동사의 태

• **능동태:** 주어가 동작의 주체
• **수동태:** 주어가 동작의 객체

• 수동태로 쓰지 않는 동사
- 소유: have, lack, hold, cost
- 상호 관계: meet, suit, fit, marry, resemble, become ...

❶ 수동태의 종류

• **단순 수동태:** All the problems **were solved** by her.
• **조동사의 수동태** (조동사+be+p.p.): Children **must be accompanied** by an adult.
• **진행형 수동태:** A newer version of the program **is being installed** on the computer.
• **완료형 수동태:** America **has been hit** by hurricanes.

❷ 주의해야 할 수동태

• **4형식의 수동태:** She **gave** him a book.
= A book **was given** to him by her. = He **was given** a book by her.
• **5형식의 수동태:** He **painted** the roof green. = The roof **was painted** green by him.
• **사역동사의 수동태:** Sam **made** Danny **speak**. = Danny **was made to speak** by Sam.
• **지각동사의 수동태:** I **saw** her enter the room. = She **was seen to enter** the room.
She **heard** her son playing the guitar. = Her son **was heard playing** the guitar.

☑ 출제 FOCUS [어법] 동사의 형태 선택 / 동사의 종류에 따른 수동태 표현 [서술형] 시제에 맞는 문장 완성

: 어법 확인

● 정답과 해설 p. 02

개념 확인

A 괄호 안에서 알맞은 것을 고르시오.

1 Mr. Anderson (admires / is admired) by his students.

2 She believed that the gift was given (her / to her) by Santa Claus.

3 Sam was made (washing / to wash) the dishes by her mom.

4 When you (study / will study) online, you will sometimes feel isolated and lonely.

5 My neckache (bothers / bothered / has been bothering) me since 2018.

B 다음 문장이 어법상 맞으면 ○표, 틀리면 ×표 하시오.

1 Pink is her favorite color, and that's why she always wears pink clothes. [ ]

2 This picture painted last month by Becky. [ ]

3 He is knowing how to use his smartphone well. [ ]

4 Water can polluted by us. [ ]

5 He was elected principal of the newly founded London Institution. [ ]

오류 수정

C 어법상 틀린 부분을 골라 바르게 고치시오.

1 I will stay(ⓐ) home(ⓑ) if it(ⓒ) will rain(ⓓ) tomorrow.

( ) → ________________

2 When(ⓐ) have mothers started(ⓑ) dressing(ⓒ) their daughters in pink(ⓓ)?

( ) → ________________

3 The researchers have been studied(ⓐ) the phenomenon(ⓑ) for years(ⓒ).

( ) → ________________

4 I realized he has been trying(ⓐ) to return(ⓑ) my wallet to me(ⓒ).

( ) → ________________

: 서술형 연습

● 정답과 해설 p. 02

대표 유형 **구문 배열: 시제와 수에 맞게 어순 배열**

기출 예제 주어진 단어를 배열하여 빈칸에 알맞은 말을 쓰시오. (필요 시 어형 변화 가능)

When we read a number, we are more influenced by the leftmost digit than by the rightmost, since that is the order in which we read, and process, them. The number 799 feels significantly less than 800 because we see the former as 7-something and the latter as 8-something, whereas 798 feels pretty much like 799. ❶❷Since the nineteenth century, shopkeepers ❸have taken advantage of this trick by choosing prices ending in a 9, to give the impression that a product is cheaper than it is. Surveys show that around a third to two-thirds of all retail prices now end in a 9.
(this / shopkeepers / ❸take / advantage / of / trick)

풀이 방법
❶ **출제 포인트:** 동사의 시제
❷ **시제의 단서 파악:** '~ 이래로'라는 뜻의 Since로 시작하는 문장의 주절은 완료 시제
❸ **동사 찾아 시제, 수 일치:** 동사는 take, 글 전체 시제가 현재이고 '19세기부터 이 요령을 이용해 왔다'라는 의미가 되어야 하므로 현재완료 시제가 되어야 함. 주어가 shopkeepers로 복수이므로 have taken

대표 유형 연습

[1~2] 주어진 단어를 배열하여 빈칸에 알맞은 말을 쓰시오. (필요 시 어형 변화 가능)

1

The delivery of your desk will take longer than expected due to the damage that occurred during the shipment from the furniture manufacturer to our warehouse. We have ordered an exact replacement from the manufacturer, and we expect that delivery will take place within two weeks. As soon as the desk arrives, ______________________ ______________ and arrange a convenient delivery time.
(telephone / we / immediately / you)

- **delivery** 배달
- **due to** ~ 때문에
- **manufacturer** 제조업자
- **warehouse** 창고
- **replacement** 대체품

2

Thinking about the future is important, but you also need to focus on the present moment. You are wasting your precious present time! To achieve your goals, you need to do more than just dream about them. So take action now, and in ten years ______________________.
(you / achieve / your goals)

- **focus on** 집중하다
- **achieve** 성취하다

빈출 유형 연습

3 밑줄 친 ⓐ~ⓓ 중 어법상 틀린 것을 2개 찾아 바르게 고쳐 쓰시오.

For almost all things in life, there can be too much of a good thing. Even the best things in life ⓐ aren't so great in excess. This concept ⓑ has discussed at least as far back as Aristotle. He argued that ⓒ being virtuous means finding a balance. For example, we should trust others, but if we trust them too much, we ⓓ considered gullible.

( ) → ____________________

( ) → ____________________

• excess 지나침
• virtuous 미덕을 지닌
• gullible 잘 속는

[4~5] 밑줄 친 부분을 주어진 단어로 시작하여 다시 쓰시오.

4

Two students met their teacher at the start of a track through a forest. He gave them instructions, in preparation for a test later in the week. The path split into two: one was clear and smooth, the other had fallen logs and other obstacles in the way.

(1) Instructions ____________________,

(2) They ____________________,

• split 나뉘다
• log 통나무
• obstacle 장애물

5

Journalists do not need to report to a central location where they all contact sources, type, or edit video. They can instantaneously write, shoot, and make stories available to the entire world.

Stories ____________________

____________________.

• instantaneously 즉각적으로
• available 이용할 수 있는
• entire 전체

6 밑줄 친 우리말과 일치하도록 주어진 표현을 활용하여 영작하시오.

As you all know from seeing the pictures on television and in the newspaper, 중앙아메리카가 일련의 허리케인에 의해 강하게 공격받았습니다. Tens of thousands of people are homeless and without basic necessities like food and clothing. I feel that we need to do something to help.
(hit, hard, a series of hurricanes, Central America)

____

• necessities 필수품

내신 대비 문제

● 정답과 해설 p. 03

[1~3] 빈칸에 들어갈 말로 알맞은 것을 고르시오.

1

Bend a tree while it is young, because when it __________ old it will break.

① is ② is being ③ will be
④ was ⑤ has been

2

My family __________ fishing last weekend on Lake Tara and had a great time.

① go ② went
③ will go ④ are going
⑤ have gone

3

Although humans __________ coffee for centuries, it is not clear just where coffee originated or who first discovered it.

① will drink ② are drinking
③ will be drinking ④ have been drinking
⑤ will have been drinking

4 밑줄 친 부분이 어법상 틀린 것은?

① The meeting hasn't been canceled yet.
② Your subscription to our newspaper will end soon.
③ The benefits of change aren't attractive, and the system kicks in.
④ James Van Der Zee was born on June 29, 1886, in Lenox, Massachusetts.
⑤ If a tree will experience stressful conditions, it hardly grows during that time.

중요

5 네모 (A)~(C)에 들어갈 말끼리 짝 지어진 것은?

All mammals need to leave their parents at some point. But human adults generally provide a comfortable existence — enough food arrives on the table, and money (A) [gave / is given] at regular intervals. If teenagers didn't conflict with their parents, they'd never want to leave. In fact, falling out of love with your parents (B) [is / will be] probably a necessary part of growing up. Later, when you (C) [live / will live] independently, you can start to love them again.

	(A)	(B)	(C)
①	gave	is	live
②	gave	will be	live
③	is given	is	live
④	is given	will be	will live
⑤	is given	is	will live

고난도

6 어법상 맞는 문장을 모두 고르면?

ⓐ The price of cell phones has decreased significantly since last year.
ⓑ Shirley Chisholm has begun her career as a teacher in 1946.
ⓒ Your decision will be had no impact on others.
ⓓ When have you decided to become a photographer?
ⓔ The judges said I was very honest.
ⓕ We usually do not know how statistical surveys are conducted.

① ⓐ, ⓒ, ⓕ ② ⓐ, ⓔ, ⓕ ③ ⓐ, ⓒ, ⓓ
④ ⓑ, ⓒ, ⓕ ⑤ ⓑ, ⓔ, ⓕ

서술형

7 밑줄 친 부분이 어법상 맞으면 ○표, 틀리면 ×표 하고 바르게 고치시오.

(1) A long letter was written me by my best friend.

( ) → ____________________

(2) I gave an iPad by my parents as a birthday present.

( ) → ____________________

(3) He will be blamed for his dishonesty.

( ) → ____________________

(4) My cat looked after by Tina while my family was on vacation.

( ) → ____________________

서술형

8 밑줄 친 (A), (B)를 어법상 알맞은 형태로 고쳐 쓰시오.

> The student looked at the teacher and smiled. He knew now that the obstacles that (A) place in his path were part of his preparation. By choosing to overcome challenges, not avoid them, he was ready to make the leap. He ran as fast as he could and (B) launch himself into the air.

(A) ____________ (B) ____________

서술형 중요

9 주어진 표현을 배열하여 빈칸에 알맞은 말을 쓰시오. (필요 시 어형 변화 가능)

> An experimenter would place an object inside one box and leave the room. Another experimenter would enter the room, move the object into the other box and exit. When the first experimenter returned and tried retrieving the object from the first box, the great ape would help the experimenter open the second box, as it knew ____________________.
> (the object / the second box / to / transfer)

서술형 고난도

10 빈칸에 알맞은 말을 [조건]에 맞게 쓰시오.

> In a study, psychologist Laurence Steinberg of Temple University and his co-author, psychologist Margo Gardner divided 306 people into three age groups: young adolescents, with a mean age of 14; older adolescents, with a mean age of 19; and adults, aged 24 and older. Subjects played a computerized driving game in which the player must avoid crashing into a wall that appears, without warning, on the roadway. Steinberg and Gardner randomly assigned some participants to play alone or with two same-age peers observing them. Older adolescents scored about 50 percent higher on an index of risky driving when their peers were in the room — and the driving of early adolescents was fully twice as reckless when other young teens were around. In contrast, adults behaved in similar ways regardless of ____________________.

조건

1. 주어진 표현을 활용하여 8단어로 쓸 것
   whether, others, they, observe, be, or, by
2. 필요 시 단어의 형태를 바꿔 쓸 것
3. 맥락상 필요한 한 단어를 윗글에서 찾아서 쓸 것

GRAMMAR POINT

02 조동사

조동사의 종류

조동사

- 동사원형 앞에 위치하여 본동사에 문법 형식이나 의미를 더해 주는 보조 동사
- 조동사는 두 개 이상 이어 나올 수 없음.

조동사	의미	예문
can (could)	능력	I **can** speak Chinese well.
	허가	You **can** stay at my place.
	추측	The rumor **cannot** be true. I believe he is innocent.
may (might)	허가	You **may** come in if you want.
	추측	There **may** exist other creatures in the universe.
must	의무	Students **must** sign up for our program in advance.
	확실한 추측	Susan **must** be tired because of the long walk.
will (would)	미래	I **will** be famous some day.
	과거의 습관	Last year, I **would** eat an apple in the mornings.
shall (should)	의무	We **should** work together as a team.
	특별 용법	I suggest that you (**should**) keep a healthy life balance. 〈명령, 주장, 제안, 요청 동사 + that + 주어 (+ should) + 동사원형〉
do	일반동사 강조	I **do** remember your face.
used to	과거의 규칙적 습관	She **used to** visit her parents on weekends.
have to	의무	You **have to** be kind to other people.
ought to	의무	You **ought to** fasten your seatbelt while you are in car.
had better	~하는 것이 더 낫다	She **had better** see him in person.

조동사 + have p.p.

❶ **cannot(can't) have p.p.:** 과거에 대한 확실한 부정적 추측 (~했을 리가 없다)
Daniel is an honest boy. He **cannot have told** a lie.

❷ **could have p.p.**
- **과거에 하지 않은 일에 대한 유감 (~했을 수도 있었는데 하지 않았다)**
  I **could have lied** to him, but I didn't.
- **과거에 대한 불확실한 추측 (~했을 수 있다)**
  My brother **could have told** my mom about that.

❸ **may(might) have p.p.:** 과거에 대한 불확실한 추측 (~했을지도 모른다)
He **may(might) have made** an important discovery.

❹ **must have p.p.:** 과거에 대한 매우 확실한 추측 (~했음에 틀림없다)
Aladdin **must have found** the magic lamp.

❺ **would have p.p.:** 과거에 대한 가정적 추측 (~했을 텐데)
I **would have refused** the offer in that case.

❻ **should have p.p.**
- **과거에 대한 후회 (~했어야 했는데 하지 않았다)**
  I **should have checked** the course before the race.
- **과거에 대한 추측 (~했을 것이다)**
  If the flight was on time, he **should have arrived** in Rome early this morning.

☑ 출제 FOCUS　**[어법]** 조동사 뒤 본동사의 바른 형태 선택　**[서술형]** 「조동사+have p.p.」 구문 배열 영작

: 어법 확인

● 정답과 해설 p. 04

개념 확인

A 괄호 안에서 알맞은 것을 고르시오.

1 I think substitute drivers may (appear / appearing) really unusual to foreigners.

2 There are many interesting clubs, so I (cannot / cannot have) decide which one to join.

3 I was late for the meeting. I should (leave / have left) home earlier.

4 My dad told me that I should find my field of interest and (love / loved) my friends.

5 She (cannot have / could have) left a message for him, but she didn't.

B 다음이 우리말과 일치하도록 빈칸에 알맞은 단어를 쓰시오.

1 I have no time, so I ______________ wait for him any more.

나는 시간이 없어서 그를 더 이상 기다릴 수 없다.

2 When Mary lived near here, we ______________ often meet at this park.

Mary가 이 근처에 살았을 때, 우리는 이 공원에서 만나곤 했다.

3 You ______________ ______________ not tell your parents what you've done.

네가 한 것에 대해 네 부모님께 말하지 않는 것이 낫겠다.

4 Since she was at home at that time, she ______________ ______________ missed the doorbell.

그녀가 그때 집에 있었으므로 벨소리를 듣지 못했을 리가 없다.

오류 수정

C 어법상 틀린 부분을 골라 바르게 고치시오.

1 He ordered(ⓐ) that(ⓑ) I left(ⓒ) immediately(ⓓ).

(   ) → ______________________

2 She told(ⓐ) me(ⓑ) that(ⓒ) he might tell(ⓓ) her lies the other day.

(   ) → ______________________

3 This is(ⓐ) the house(ⓑ) where(ⓒ) the poet was used to live(ⓓ).

(   ) → ______________________

4 They did uncovered(ⓐ) one thing that(ⓑ) was(ⓒ) very much(ⓓ) in their control.

(   ) → ______________________

: 서술형 연습

● 정답과 해설 p. 05

대표 유형 **단어 배열 영작**

기출 예제 밑줄 친 우리말을 주어진 표현에 한 단어를 추가하여 영작하시오.

As Louis was playing, a fly landed on his nose. So he blew it off. It was being taped, and everyone in the audience tried not to show they were laughing. When Louis finished, everybody burst into laughter. And then the director came out and said: "Let's do one more take without the fly." But ❶ 그것이 그가 TV에 내보냈어야 할 촬영분이었다.
❷ (TV, put on, was, he, that, the take, have)

→ ❸ that was the take he should have put on TV

풀이 방법
❶ **출제 포인트:** 과거에 대한 후회를 나타내는 「should+have+p.p.」
❷ **필요한 단어 파악:** 과거의 대한 후회의 의미가 완성되기 위해 필요한 단어(should) 파악
❸ **단어 배열:** 주어(that), 동사(was), 목적어(the take), 관계대명사절(he should have put on TV)을 이용하여 배열

대표 유형 연습

[1~2] 밑줄 친 우리말을 주어진 표현에 한 단어를 추가하여 영작하시오.

1

One man makes shoes for men, and another for women. 숙련된 직공들이 간단한 도구들을 사용해 왔는지 모를 일이다 but their specialization did result in more efficient and productive work.
(workers, have, simple, skilled, used, tools)

→ ______________________________

- specialization 전문화
- result in 그 결과 ~이 되다
- efficient 효율적인
- productive 생산적인

2

My friend once told me about the CEO who told one of her managers, "There's nothing you could possibly tell me that I haven't already thought about before. Don't ever tell me what you think unless I ask you." 그 CEO의 말은 그녀의 관리자를 낙담시키고 그의 업무 수행에 부정적으로 영향을 끼쳤음에 틀림없다.
(negatively, his performance, the CEO's words, have, her manager, and, discouraged, affected)

→ ______________________________

- unless ~하지 않으면
- negatively 부정적으로
- performance 수행
- affect 영향을 주다

빈출 유형 연습

3 주어진 단어를 배열하여 빈칸에 알맞은 말을 쓰시오.

The neuroscientist Antonio Damasio studied people who were perfectly normal in every way except for brain injuries that damaged their emotional systems. As a result, they were unable to make decisions or function effectively in the world. While they could describe exactly ______________, they couldn't determine where to live, what to eat, and what products to buy and use.
(they / have / how / functioning / been / should)

→ ______________

- **neuroscientist** 신경과학자
- **except for** ~을 제외하고
- **injury** 부상

[4~5] 밑줄 친 ⓐ~ⓒ 중 어법상 틀린 것을 골라 바르게 고쳐 쓰시오.

4

A quick look at history shows ⓐ that humans have not always had the abundance of food that is enjoyed throughout most of the developed world today. In fact, ⓑ there have been numerous times in history when food has been rather scarce. As a result, people ⓒ were used to eat more when food was available since the availability of the next meal was questionable.

(   ) → ______________

- **abundance** 풍부함
- **developed** 발전된
- **numerous** 수많은
- **rather** 꽤, 약간
- **scarce** 부족한, 드문
- **questionable** 불확실한

5

Since the new millennium, ⓐ businesses have experienced more global competition that requires improved productivity. This situation has led employers to insist ⓑ that newcomers to the labor market provided evidence of traditional independence but also interdependence shown through teamwork skills. ⓒ The challenge for educators is to ensure individual competence in basic skills while adding learning opportunities that can enable students to also perform well in teams.

(   ) → ______________

- **millenium** 천 년
- **competition** 경쟁
- **newcomer** 신입자, 신참자
- **interdependence** 상호 의존
- **competence** 능력

내신 대비 문제

● 정답과 해설 p. 05

1 다음 중 어법상 맞는 것은?

① We were used to have coffee together.
② We cannot to predict the outcomes of sporting contests.
③ You have better walk to the shop to improve your health.
④ Detectives ought to not contact with any of the suspect personally.
⑤ Sports marketers should avoid marketing strategies based solely on winning.

중요
2 어법상 틀린 문장을 모두 고르면?

① Would you like some chips?
② He may have hear the news.
③ You had better to reject that offer.
④ I suggested that he go to see a doctor.
⑤ This sentence may or may not have errors.

고난도
3 어법상 틀린 부분을 찾아 고쳐 쓴 것 중 바르지 않은 것은?

① It's very dangerous to cross the road illegally because you can't always seen approaching vehicles. (seen → see)
② May have I your attention, please? This is your principal, Mr. Adams. (have I → I have)
③ Could you removed the stain on my pants by tomorrow? I have to wear them this Friday. (removed → remove)
④ He did not attend the meeting again. He did have forgotten it. (did → should)
⑤ Things aren't like they are used to be. (be → being)

4 네모 (A)~(C)에 들어갈 말끼리 짝 지어진 것은?

When you make a plan, you're very excited about it. In this stage, you (A) [can / should] even imagine yourselves doing a victory dance when you reach the top of the mountain, feeling successful and happy. However, when you start putting the plan into practice to achieve your goal, the happiness and excitement suddenly disappear. That is because the road to your goal, the implementation of the plan (B) [might / had better] not be as appealing as the plan. You can easily (C) [lose / lost] motivation when you face the plain reality of the road to success.

	(A)		(B)		(C)
①	can	–	might	–	lose
②	can	–	had better	–	lost
③	can	–	had better	–	lose
④	should	–	might	–	lost
⑤	should	–	had better	–	lose

5 밑줄 친 ①~⑤ 중 어법상 틀린 것을 모두 고르면?

Social lies such as making deceptive but flattering comments ("I like your new haircut.") ① may have benefited mutual relations. Social lies ② are told for psychological reasons and ③ are served both self-interest and the interest of others. They ④ serve the interest of others because hearing the truth all the time ("You look much older now than you did a few years ago.") ⑤ could damage a person's confidence and self-esteem.

중요

6 빈칸 (A)와 (B)에 들어갈 말끼리 짝 지어진 것은?

"I found my baby sister!" I said proudly, pushing a stroller around so that my mother ___(A)___ the newest member of our family whom I had just taken. At that time I was not quite three years old, and the toddler was only a few months younger than that. I remember that she was smiling up at me. I ___(B)___ her smile as permission to take the unwatched stroller. "No, you haven't!" my mother gasped in shock, putting a hand over her own mouth.

	(A)		(B)
①	saw	–	am taken
②	would see	–	am taking
③	can see	–	must take
④	could have seen	–	may have taken
⑤	could see	–	must have taken

서술형

7 다음 문장이 우리말과 일치하도록 주어진 단어를 바르게 배열하시오. (중복 사용 가능)

(1) Smith 씨는 매우 사려 깊은 사람이다. 그러니 그가 그런 비열한 일을 했을 리가 없다.

Mr. Smith is very considerate person. So, he ______________________.

(such / cannot / have / thing / mean / done / a)

(2) 내가 당신에게 그런 말을 했을지 모르지만, 그것은 진심이 아니었다.

______________________, but I didn't mean it.

(to / I / said / may / you / that / have)

(3) 그는 그녀의 이름은 기억할 수 없었지만, 그녀의 얼굴은 확실히 기억했다.

He ______________________, but ______________________.

(remember / her / name / couldn't / face / did)

서술형 고난도

8 어법상 틀린 문장을 3개 골라 바르게 고치시오.

ⓐ When you hit puberty, you find that you have less in common with your old friends than you were used to.
ⓑ They insist that a father stimulates his children in the traditional ways.
ⓒ Dinosaurs, however, did once live.
ⓓ How many pens should we buy?
ⓔ Kate may often claim that she spends too much time studying English.
ⓕ You may have not remember this, but you helped me.

(　　) ______________ → ______________
(　　) ______________ → ______________
(　　) ______________ → ______________

서술형

9 빈칸 (A), (B), (C)에 알맞은 조동사를 [보기]에서 골라 쓰시오.

Vision is like shooting at a moving target. Plenty of things can go wrong in the future and plenty more can change in unpredictable ways. When such things happen, you ___(A)___ be prepared to make your vision conform to the new reality. For example, a businessman's optimistic forecast can be blown away by aggressive competition in ways he ___(B)___ not have foreseen. In this event, he ___(C)___ be foolish to stick to his old vision in the face of new data. Rather, he will have to modify his vision or even abandon it, as necessary.

보기

should　　will　　could　　does

(A) ______________
(B) ______________
(C) ______________

GRAMMAR POINT

03 to부정사

to부정사의 용법

- **to부정사의 의미상 주어**
「for+목적격」 형태로 to부정사 앞에 위치
cf. 사람에 대한 주관적 평가를 표현하는 형용사가 올 때는 「of+목적격」

❶ **명사적 용법**
- **주어:** **To wake** up early in the morning is hard for me.
  = It is hard for me **to wake** up early in the morning.
- **목적어:** If you want **to know** your future, look into your present conditions.
- **보어:** She never allowed him **to sleep** during the class. 〈목적격 보어〉

❷ **형용사적 용법**
- **명사(구) 수식:** I need some clothes **to wear** to the party.
- **주어 상태 서술:** You **are to finish** your work by this afternoon.

❸ **부사적 용법:** 동사, 형용사, 다른 부사, 문장 전체 수식 (목적, 이유, 감정의 원인, 결과 등)
- **형용사 수식:** Sandwiches are really delicious and easy **to make.**
- **문장 전체 수식:** **To tell** the truth, there are many people I'd like to thank.

to부정사의 시제와 태

❶ **본동사와 같은 시제:** 단순부정사 「to+동사원형」
The fire seemed **to start** at the park. = It seemed that the fire **started** at the park.

❷ **본동사보다 이전 시제:** 완료부정사 「to have p.p.」
The fire seems **to have started** in the parking lot.
= It seems that the fire **started** in the parking lot.

❸ **수동태 「to be + p.p.」**
I was very happy **to be invited** to your party.
She ordered all of the peonies **to be removed** from the capital city.

to부정사 활용 표현

- **to부정사 보어를 취하는 동사:** seem, happen, appear, turn out ...

cf. 「in order to」와 「so as to」 구문에서 in order와 so as는 생략 가능

❶ **의문사+to부정사(명사구):** He showed her **how to copy** a file to her computer.

❷ **seem+to부정사(보어):** '~인 것처럼 보인다' (= It seems that+주어+동사)
Many people **seem to know** how to recycle.
= **It seems that** many people **know** how to recycle.

❸ **in order+to부정사:** '~하기 위해서' (= so as+to부정사 = so that+주어 (+can/may)+동사)
(In order) To get a ticket for the concert, I saved 100 dollars.
= I saved 100 dollars **(so as) to get** a ticket for the concert.
= I saved 100 dollars **so that I could get** a ticket for the concert.

❹ **enough+to부정사:** '~하기에 충분히 …한' (= so ~ that+주어+can+동사원형)
Cooking is beautiful **enough to be called** art.
= Cooking is **so** beautiful **that it can be called** art.

❺ **too ~ to부정사:** '너무 ~해서 …할 수 없다' (= so ~ that+주어+cannot+동사원형)
The line was **too** long for her **to get** water.
= The line was **so** long **that** she **could not get** water.

☑ 출제 FOCUS
[어법] to부정사의 용법 구별 / 시제 · 태에 맞는 to부정사 형태 선택
[서술형] to부정사 구문의 다른 표현 전환 / 의미상 주어가 있는 구문 배열

: 어법 확인

● 정답과 해설 p. 07

개념 확인

A 괄호 안에서 알맞은 것을 고르시오.

1 The conclusion of the meeting was (start / to start) a new project.

2 It was foolish (of her / for her) to make such mistakes.

3 (Telling / To tell) the truth, I didn't expect anything else.

4 There is a gene that allows people (perceive / to perceive) the color red.

5 He is said to (be / have been) born in Hong Kong.

6 No one thinks that they are (blame / to blame).

B 빈칸에 알맞은 말을 [보기]에서 골라 쓰시오.

보기

seem	enough	too	for	how	order

1 You are never ____________ old to learn.

2 The easiest way ____________ him to win was to practice with his partner.

3 People need to learn ____________ to live in harmony with nature.

4 Your eyesight isn't bad ____________ to wear glasses.

5 The lyrics of the song ____________ to express my heart.

6 Sam came here in ____________ to apologize to Dr. Lee.

오류 수정

C 어법상 틀린 부분을 골라 바르게 고치시오.

1 He(ⓐ) seems(ⓑ) to have been(ⓒ) busy(ⓓ) now.
( ) → ____________

2 I ran(ⓐ) fast(ⓑ) as so to(ⓒ) get the last subway(ⓓ).
( ) → ____________

3 The foundation(ⓐ) allowed(ⓑ) extra food(ⓒ) to distribute(ⓓ) to neighbors.
( ) → ____________

: 서술형 연습

● 정답과 해설 p. 07

대표 유형 **문장 전환: to부정사구 → 결과절**

기출 예제 ❶ 밑줄 친 부분을 so ~ that 구문을 활용하여 바꿔 쓰시오.

> The belief that humans have morality and animals don't is such a longstanding assumption that it could well be called a habit of mind. ❶ <u>This assumption is strong enough to make a lot of people cling to the status quo.</u>

→ This assumption is ❷ so strong that it can make a lot of people cling to the status quo.

풀이 방법 ❶ **출제 포인트:** 「enough+to부정사」 구문을 「so ~ that」 구문으로 전환

❷ **so ~ that 구문 어순대로 배열:** 「so+형용사(부사)+that+주어+can+동사원형」

대표 유형 연습

1 밑줄 친 부분을 so ~ that 구문을 활용하여 바꿔 쓰시오.

> One time my dad told me to cut the grass and I decided to do just the front yard and postpone doing the back, but then it rained for a couple days and the backyard grass became so high I had to cut it with a sickle. That took so long that by the time I was finished, <u>the front yard was too high to mow</u>, and so on.

→ ______________________________

- **postpone** 미루다, 연기하다
- **sickle** 낫
- **mow** 잔디를 깎다

2 밑줄 친 부분을 to부정사를 활용하여 바꿔 쓰시오.

> Advertising helps people find the best for themselves. When they are made aware of a whole range of goods, <u>they are able to compare them and make purchases so that they get what they desire</u> with their hard-earned money. Thus, advertising has become a necessity in everybody's daily life.

→ ______________________________

- **aware of** ~을 인식하는
- **range** 범위
- **purchase** 구매
- **desire** 원하다

빈출 유형 연습

3 주어진 단어를 배열하여 우리말을 영작하시오.

(1) 그가 그 회의를 참석할 필요는 없었다.
(no / him / conference / for / the / to / need / attend / was / there)

____

(2) 그녀가 나를 태워 준 것은 정말 친절했다.
(it / me / kind / give / to / of / very / was / her / a ride)

____

• conference 회의
• attend 참석하다

[4~5] 다음 글을 읽고, 물음에 답하시오.

In early 19th century London, a young man named Charles Dickens had a strong desire to be a writer. But (A) everything seemed to be against him. He had never been able to attend school for more than four years. His father had been in jail because he couldn't pay his debts, and this young man often knew the pain of hunger. Moreover, (B) 그는 글을 쓰는 자신의 능력에 대한 자신감이 너무 부족했다 that he mailed his writings secretly at night to editors so that nobody would laugh at him.

• debt 빚
• editor 편집자

4 밑줄 친 (A)를 주어진 단어로 시작하여 다시 쓰시오.

→ it ______________________________

5 주어진 표현을 이용하여 밑줄 친 (B)의 우리말을 영작하시오. (필요 시 어형 변화 가능)

(his ability, little confidence, have, so, to write, in, he)

____

6 밑줄 친 ⓐ~ⓔ에서 어법상 틀린 것을 2개 골라 바르게 고치시오.

If your social image is terrible, look within yourself and ⓐ take the necessary steps to improve it, TODAY. ⓑ You have the ability to choose ⓒ how to responding to life. ⓓ Decide today to be ended all the excuses, and stop lying to yourself about what is going on. The beginning of growth comes ⓔ when you begin to personally accept responsibility for your choices.

(   ) → ______________________________

(   ) → ______________________________

• respond 대응하다, 응답하다
• excuse 변명
• responsibility 책임(감)

내신 대비 문제

● 정답과 해설 p. 08

[1~2] 빈칸에 들어갈 말로 알맞은 것을 고르시오.

1

It is more important ___________ reality than to stay in virtual reality.

① him to face　② him facing
③ for him to face　④ for him facing
⑤ of him to face

2

Imagine that your boss tells you about a skill you need to develop and opens up an opportunity for you __________ in that particular skill.

① train　② to train
③ training　④ be trained
⑤ to be trained

중요

3 밑줄 친 부분 중 어법상 쓰임이 다른 하나는?

① When Mom decided to marry Dad, her father didn't like him.
② It is wise of you to keep out of debt.
③ Our world will be a happier place to live in.
④ He allowed his friends to come to his house.
⑤ It was foolish of you not to accept his generous offer.

[4~6] 밑줄 친 부분 중 어법상 틀린 것을 고르시오.

4

It is best ① to face cold environments with layers so you ② can adjust your body temperature ③ avoid ④ sweating and ⑤ remain comfortable.

5

① It is your responsibility ② communicating with your body ③ regarding the new environment of food abundance and the need ④ to change the inborn habit of ⑤ overeating.

6

He seemed ① to watch the movie before ② since he ③ knew ④ all the ⑤ lines of the main character.

중요

7 어법상 틀린 부분을 찾아 고쳐 쓴 것 중 바르지 않은 것은?

① I was surprised reading the newspaper article. (reading → to read)
② It was too hard for she to prepare the conference alone. (she → her)
③ He knows how to leading a soccer team effectively. (leading → lead)
④ It can be dangerous to be visited isolated places alone. (to be visited → to visit)
⑤ The fire seems to be started by a lightning strike. (to be started → to have started)

서술형 중요

8 우리말과 일치하도록 주어진 단어를 배열하여 문장을 완성하시오.

(1) Jason은 그의 노년을 즐기기 위해 열심히 일했다.

Jason ______________________

______________________.

(enjoy / old / age / to / so / worked / his / hard / as)

(2) 이 책은 중학생이 읽기에는 너무 어렵다.

This book ______________________

______________________.

(a / is / read / middle / too / for / school difficult / student / to)

서술형 고난도

[9~10] 다음 글을 읽고, 물음에 답하시오.

> The annual school musical at Victoria's school would be held in a few months. Victoria's mother had an important meeting on that day. (A) She promised she would skip the meeting and attend the musical if Victoria landed a leading role. She wanted Victoria to know that she believed in her. She also wanted to see (B) believe in / to show off / enough / Victoria / herself / her talents.

9 밑줄 친 (A)를 단문으로 바꿔 쓰시오.

→ ______________________

10 밑줄 친 (B)의 표현을 문맥에 맞게 배열하시오.

→ ______________________

서술형

11 밑줄 친 ⓐ~ⓒ 중 어법상 틀린 것을 찾아 바르게 고치시오.

> Fast fashion items ⓐ may not cost you much at the cash register, but they come with a serious price: tens of millions of people in developing countries, some just children, work long hours in dangerous conditions ⓑ to make them, in the kinds of factories often labeled sweatshops. Most garment workers are paid ⓒ enough barely to survive.

(   ) → ______________________

서술형 고난도

12 다음 글의 내용을 한 문장으로 요약하고자 한다. 빈칸에 알맞은 말을 [조건]에 맞게 쓰시오.

> Our brain consumes only 20% of our energy, so it's a must to supplement thinking activities with walking and exercises that spend a lot of energy, so that your internal battery has more energy tomorrow. Your body stores as much energy as you need: for thinking, for moving, for doing exercises. The more active you are today, the more energy you spend today and the more energy you will have to burn tomorrow. Exercising gives you more energy and keeps you from feeling exhausted.

⬇

> If you want to have a lot of energy tomorrow, you need to spend a lot of energy today
> ______________________
> ______________________ for tomorrow.

조건

1. 주어진 단어를 활용하여 10단어로 쓸 것
   so, battery, as, internal, for, your, energy, more
2. 추가로 필요한 한 단어를 윗글에서 찾아 형태를 바꿔 쓸 것

GRAMMAR POINT

04 동명사

동명사의 용법

「동사원형+-ing」의 형태, 명사처럼 주어, 목적어, 보어로 쓰임.

• 의미상 주어: 주절의 주어와 동명사의 주어가 다르면 소유격 또는 목적격으로 의미상 주어를 표시 (원칙적으로는 소유격, 사물·개념인 경우 목적격)
He is proud of **my[me] being** a doctor.
cf. stop+동명사 (~하는 것을 멈추다) vs. stop+to부정사 (~하기 위해 멈추다)

❶ **주어:** **Exercising** is good for health. 〈단수 취급〉

❷ **목적어**

• **동사의 목적어:** I enjoyed **going** on flower hunts with my friends.
- 동명사만 목적어로 쓰는 동사: stop, finish, enjoy, mind, avoid, deny ...
- to부정사만 목적어로 쓰는 동사: want, hope, expect, promise, decide, refuse ...
- 동명사와 to부정사 모두 목적어로 쓰는 동사: begin, start, love, like ...
- 목적어에 따라 의미가 달라지는 동사

	동명사	to부정사
remember/forget	~했던 것을 기억하다/잊다	~할 것을 기억하다/잊다
regret	~했던 것을 후회하다	~하게 되어 유감으로 생각하다
try	(시험 삼아) 한번 ~ 해 보다	~하기 위해 노력하다

• **전치사의 목적어:** I start the day by **checking** email.

❸ **보어:** My hobby is **watching** movies.

동명사의 시제와 태

❶ **시제**

• **본동사와 같거나 하나 다음 시제: 단순 동명사 「동사원형+-ing」**
I'm looking forward to **seeing** you again. 〈미래〉

• **본동사보다 하나 이전 시제: 완료 동명사 「having+p.p.」**
I regret not **having checked** the opening hours of the gallery.

❷ **수동태 「being+p.p.」 / 「having been p.p.」** 의미상 주어가 동명사의 객체인 경우

• I don't like **being treated** like a baby.

동명사의 관용 표현

표현	뜻	대체 표현
It is no use(good) -ing	~해도 소용없다	It is useless + to부정사
cannot help -ing	~하지 않을 수 없다	cannot (help) but + 동사원형 have no choice but + to부정사
What do you say to -ing?	~하는 게 어때?	How about -ing?
on -ing	~하자마자	as soon as + 주어 + 동사
in -ing	~할 때	when / while
feel like -ing	~하고 싶다	feel(be) inclined + to부정사
look forward to -ing	~할 것을 기대하다	expect + to부정사
object to -ing	~하는 것에 반대하다	
be used to -ing	~하는 것에 익숙하다	
be worth -ing	~할 가치가 있다	be worthwhile + to부정사

☑ 출제 FOCUS

[어법] 동사나 전치사에 알맞은 목적어 형태 선택
[서술형] 어법상 틀린 부분 수정 / 동명사 구문의 다른 표현 전환

: 어법 확인

● 정답과 해설 p. 09

개념 확인

A 괄호 안에서 알맞은 것을 모두 고르시오.

1 (Teach / Teaching) is a challenging but greatly rewarding job.

2 I really enjoy (have / having) a cup of tea while watching the beautiful scenery.

3 Though we may fail, it is worth (challenging / to challenge) ourselves.

4 What do you think about (have / to have / having) a huge department store built?

5 Do you mind (I / my / me) asking what you're looking for?

6 On (see / seeing / seen) her, he started to cry.

B 밑줄 친 단어를 어법상 바르게 고치시오.

1 You should spend less time play computer games. → ______________

2 The workers objected to work at night. → ______________

3 We cannot help offer opposition to her decision. → ______________

4 Remember book your ticket as soon as possible as the show is popular. → ______________

5 He avoided hunt on rainy days because the rain would blur his vision. → ______________

6 I felt like run but I couldn't find a suitable place. → ______________

오류 수정

C 어법상 틀린 부분을 찾아 바르게 고치시오.

1 Get (ⓐ) into the habit (ⓑ) of asking questions (ⓒ) transforms (ⓓ) you into an active listener (ⓔ).

( ) → ______________________

2 All of us (ⓐ) at the school (ⓑ) look forward (ⓒ) to see you (ⓓ) at our 50th anniversary celebration (ⓔ).

( ) → ______________________

3 My sister (ⓐ) is tired of (ⓑ) scolding (ⓒ) for not eating vegetables (ⓓ).

( ) → ______________________

4 I regret (ⓐ) not work (ⓑ) harder (ⓒ) when I was (ⓓ) young.

( ) → ______________________

: 서술형 연습

● 정답과 해설 p. 10

대표 유형 **어법상 틀린 부분 수정**

기출 예제 밑줄 친 부분을 어법상 바르게 고쳐 쓰시오.

Twenty-three percent of ❷ people admit to ❶❷ sharing fake news story on a popular social networking site, either accidentally or on purpose, ❸ according to a 2016 Pew Research Center survey. It's tempting for me to attribute it to people being willfully ignorant. When in doubt, we need to cross-check story lines ourselves.

→ admit to ❸ having shared a fake news story on a popular social networking site

풀이 방법
❶ **출제 포인트:** 동명사의 시제 파악
❷ **동명사로 쓰인 동사의 쓰임과 의미상 주어 파악:** share는 '공유하다'라는 뜻의 타동사. 동명사의 의미상 주어는 주절의 주어 people과 같으므로 쓰지 않음.
❸ **동명사의 시제 파악:** 가짜 뉴스를 공유한 것이 그것을 인정한 것보다 먼저 일어난 일이므로 완료 동명사 having shared로 바꿔야 함.

대표 유형 연습

[1~2] 밑줄 친 부분을 어법상 바르게 고쳐 쓰시오.

1

Your proposed policy of close libraries on Mondays as a cost cutting measure could be harmful to these children. I'm certain there are other ways to save money. I urge you and other city council representatives to cancel the plan and to keep libraries open!

→ ____________________

- propose 제안하다
- urge 촉구하다

2

In late 2007 the science media widely reported a study by Claudia Rutte and Michael Taborsky suggesting that rats display what they call "generalized reciprocity." They each provided help to an unfamiliar and unrelated individual, based on their own previous experience of helping by an unfamiliar rat. Rutte and Taborsky trained rats in a cooperative task of pulling a stick to obtain food for a partner. Rats who had been helped previously by an unknown partner were more likely to help others.

→ ____________________

- reciprocity 호혜성
- previous 이전의
- cooperative 협력적인

빈출 유형 연습

[3~4] 주어진 표현을 배열하여 빈칸에 알맞은 말을 쓰시오. (필요 시 어형 변화 가능)

3

In fact, black is perceived to be twice as heavy as white. ______________ ______________, versus a white one, feels heavier. So, small but expensive products like neckties and accessories are often sold in dark-colored shopping bags or cases.
(the / product / a / same / carry / in / black shopping bag)

____

- **perceive** 인식하다
- **versus** ~대

4

You are free to choose what you want to make of your life. It's called *free will* and it's your basic right. What's more, you can turn it on instantly! At any moment, you can choose to start showing more respect for yourself or ______________ who bring you down. After all, you choose to be happy or miserable.
(friends / out / with / hang / stop)

____

- **will** 의지
- **what's more** 게다가
- **instantly** 즉시
- **bring down** 실망시키다
- **after all** 결국
- **miserable** 비참한

5 우리말과 일치하도록 [보기]의 표현을 활용하여 빈칸에 알맞은 말을 쓰시오.

보기

be used to　　object to　　on

(1) 집을 나오자마자, 그는 버스를 향해 뛰기 시작했다.

______________, he began to run for the bus.

(2) 나는 그가 그 학교에 가는 것에 반대한다.

I ______________ to the school.

6 두 문장의 의미가 같도록 동명사 구문을 이용하여 바꿔 쓰시오.

(1) It is useless to cry in front of him.

= ______________________________

(2) People cannot but admire his honesty.

= ______________________________

- **admire** 감탄하다

내신 대비 문제

● 정답과 해설 p. 10

1 빈칸에 들어갈 말로 알맞은 것을 모두 고르면?

He was severely criticized for ____________ the door open during the day.

① leaving ② being left
③ having left ④ him leaving
⑤ having been left

2 다음 중 어법상 맞는 것은?

① We look forward to receive your response.
② It is worth to attempt even though we fail.
③ We cannot help consenting to his suggestion.
④ Can I have dinner when I finish to read this book?
⑤ Remember locking the door after you finish your work.

고난도

3 어법상 맞는 문장을 모두 고르면?

ⓐ We promise delivering all the products within 48 hours.
ⓑ Aid groups denied to work with the government.
ⓒ I hope to visit that country someday.
ⓓ I don't want to be disappointed by his rudeness.
ⓔ You'd better avoid to eat too much.
ⓕ A traveler stopped to take a rest under a tree.

① ⓐ, ⓒ, ⓓ ② ⓐ, ⓒ, ⓕ ③ ⓑ, ⓒ, ⓔ
④ ⓒ, ⓓ, ⓕ ⑤ ⓒ, ⓔ, ⓕ

4 빈칸 (A)와 (B)에 들어갈 말끼리 짝 지어진 것은?

My name is Susan Harris and I am writing on behalf of the students at Lockwood High School. You are invited ___(A)___ a special presentation that will be held at our school auditorium on April 16th. At the presentation, students will propose a variety of ideas for ___(B)___ employment opportunities for the youth within the community.

	(A)		(B)
①	attend	–	developing
②	to attend	–	developing
③	to attend	–	to develop
④	attending	–	to develop
⑤	attending	–	developing

중요

5 밑줄 친 ①~⑤ 중 어법상 틀린 것은?

Wouldn't it be nice for you ①to take your customers by the hand and guide each one through your store while pointing out all the great products you would like them to consider ②buying? Most people, however, would not particularly enjoy ③having a stranger grab their hand and drag them through a store. Rather, let the store do it for you. ④Have a central path that leads shoppers through the store is helpful. It lets them ⑤look at many different product areas. This path leads your customers from the entrance through the store on the route you want them to take all the way to the checkout.

고난도

6 다음 두 문장의 의미가 같도록 할 때 알맞지 않은 것은?

① What do you say to going for a walk with me?
= How about going for a walk with me?

② I regret not having specified my size when I ordered the clothes.
= I regret that I did not specify my size when I ordered the clothes.

③ I really don't feel like studying mathematics today.
= I really don't feel inclined to study mathematics today.

④ We couldn't help shedding tears when we saw the movie.
= We couldn't help but to shed tears when we saw the movie.

⑤ On arriving, I had to prepare to go out for dinner.
= As soon as I arrived, I had to prepare to go out for dinner.

서술형

7 빈칸 (A)~(D)에 들어갈 말을 [보기]에서 골라 어법상 바르게 고쳐 쓰시오.

> Within minutes, the plane shakes hard, and I freeze, feeling like I'm not in control of anything. The left engine starts ___(A)___ power and the right engine is nearly dead now. Rain hits the windscreen and I'm getting into heavier weather. I'm having trouble ___(B)___ up the airspeed. I regret not ___(C)___ the engines more thoroughly before I took off. When I reach for the microphone ___(D)___ the center to declare an emergency, my shaky hand accidentally bumps the carburetor heat levers.

보기

lose call keep check

(A) ______________ (B) ______________

(C) ______________ (D) ______________

서술형 중요

8 밑줄 친 부분을 어법상 바르게 고쳐 쓰시오.

> In 1949, Dorothy Hodgkin worked on the structure of penicillin with her colleagues. Her work on vitamin B12 was published in 1954, which led to her awarding the Nobel Prize in Chemistry in 1964.

→ ______________________________

서술형 고난도

9 빈칸에 알맞은 말을 [조건]에 맞게 쓰시오.

> Near an honesty box, in which people placed coffee fund contributions, researchers at Newcastle University in the UK alternately displayed images of eyes and of flowers. Each image was displayed for a week at a time. During all the weeks in which eyes were displayed, bigger contributions were made than during the weeks when flowers were displayed. Over the ten weeks of the study, contributions during the 'eyes weeks' were almost three times higher than those made during the 'flowers weeks.' It was suggested that 'the evolved psychology of cooperation is ______________ ______________,' and that the findings may have implications for how to provide effective nudges toward socially beneficial outcomes.

조건

1. 주어진 표현을 활용하여 8단어로 쓸 것
   watch, to, highly sensitive, subtle cues, of
2. 필요 시 단어의 형태를 바꿔 쓸 것

→ ______________________________

____

GRAMMAR POINT

05 분사구문

분사구문의 형태

부사절의 접속사와 주어를 생략하고 동사를 현재분사로 바꿔 길이를 줄인 부사구

❶ **형태:** 부사절의 접속사와 주어를 생략하고, 동사를 현재분사로 바꾼 형태
(단, 부사절의 주어 = 주절의 주어)

• **Walking** along the street, I met a friend of mine.
← As I walked along the street, I met a friend of mine.

❷ **분사구문의 부정:** 부정어(not, never 등)를 분사 앞에 씀.

• **Not knowing** the truth, I just kept silent.

분사구문의 용법

❶ **시간 (when ~할 때, as ~할 때/~하는 동안, while ~하는 동안, before ~하기 전에, after ~한 후에)**

• **Arriving** at the station, we found the train already leaving.
← When we arrived at the station, we found the train already leaving.

❷ **부대 상황 (and, as, 동시 상황, 연속 상황)**

• She extended her hand, **smiling** brightly.
← She extended her hand, and she smiled brightly.

❸ **이유 (as, because, since ~하기 때문에)**

• **Having** to wait for him for a long time, I was irritated.
← As I had to wait for him for a long time, I was irritated.

❹ **조건 (if ~라면, unless ~가 아니라면)**

• **Crossing** this bridge, you will find the house you are looking for.
← If you cross this bridge, you will find the house you are looking for.

❺ **양보 (though, although, even if, even though ~할지라도)**

• **Admitting** he is right, I oppose him.
← Though I admit he is right, I oppose him.

분사구문의 시제와 태

	단순 분사구문: 「동사원형+-ing」 (부사절 시제와 주절 시제 일치)	완료 분사구문: 「Having+과거분사」 (부사절 시제가 주절 시제 이전)
능동	• 부사절 동사 → 현재분사	• 부사절 동사 → Having + 과거분사
	When I sing loudly, I feel happy. → **Singing** loudly, I feel happy.	As I sang loudly, I'm tired now. → **Having sung** loudly, I'm tired now.
수동	• 부사절 동사 → (Being +) 과거분사	• 부사절 동사 → (Having been +) 과거분사
	When I was left alone, I cried. → (**Being**) **Left** alone, I cried.	As I had been left alone, I was scared. → (**Having been**) **Left** alone, I was scared.

※ 수동 분사구문에서 Being과 Having been은 거의 생략되므로 과거분사만 남게 됨.

☑ 출제 FOCUS [어법] 현재분사/과거분사 중 알맞은 것 선택 [서술형] 부사절과 분사구문의 전환

: 어법 확인

● 정답과 해설 p. 12

개념 확인

A 괄호 안에서 알맞은 것을 고르시오.

1 He was sitting on the corner, (reading / read / to read) a novel.

2 (Admitting / Admitted) the result, I cannot agree with you.

3 (Biting / Bitten) by mosquitoes, we regretted not having stayed at home.

4 (Taking / Taken) a walk by the riverside, I came across my English teacher.

5 (Knowing not / Not knowing) his address, I gave him a call.

B 다음 밑줄 친 부분을 우리말로 해석하시오.

1 <u>Watching her favorite movie</u>, she always eats potato chips.

2 <u>Exhausted after a soccer game</u>, my brother fell asleep.

3 <u>Sitting in the shade of a tree</u>, I still feel hot.

4 The other worker is working hard, <u>typing code into his computer</u>.

5 <u>Turning to the right</u>, you will find the movie theater.

오류 수정

C 부사절을 분사구문으로 바꿔 쓸 때, 생략할 수 있는 것에는 밑줄을 치고 동사를 분사로 바꿔 쓰시오.

1 When he heard the strange sound, he felt scared.

______________ → ______________

2 A man ran out of the house as he shouted about something.

______________ → ______________

3 Because I lost my cell phone yesterday, I cannot contact anybody.

______________ → ______________

4 As she was raised in France, she speaks fluent French.

______________ → ______________

: 서술형 연습

● 정답과 해설 p. 12

대표 유형 **문장 전환: 부사절 → 분사구문**

기출 예제 ❶ 밑줄 친 문장을 접속사 When을 이용하여 한 문장으로 만든 다음, ❶ 분사구문으로 바꿔 쓰시오.

> Shirley Chisholm attended Brooklyn College and majored in sociology. ❸ She graduated from the college in 1946. Then ❸ she began her career as a teacher. Then she went on to earn a master's degree in elementary education from Columbia University.

(1) ❷ When she graduated from the college in 1946, she began her career as a teacher.

(2) ❸ Graduating from the college in 1946, she began her career as a teacher.

풀이 방법

❶ **출제 포인트:** 부사절의 분사구문 전환

❷ **접속사를 이용하여 부사절 완성:** 문맥상 선행 사건인 첫 문장 앞에 When을 넣어 부사절로 만든 다음, 뒤 문장의 부사 Then 삭제

❸ **분사구문으로 전환:** 주절과 부사절의 주어(she)가 같으므로 부사절 접속사(When)와 주어 생략, 부사절이 능동문이고 주절과 시제가 같으므로 동사 graduated를 현재분사(graduating)로 어형 변화

대표 유형 연습

1 두 문장을 접속사 When을 이용하여 한 문장으로 만든 다음, 분사구문으로 바꿔 쓰시오.

> Toby returned home to Michigan. Then he tried to keep his promise to make a difference in the lives of the poor people.

(1) When ______________________________

______________________________.

(2) ______________________________

____

• make a difference 변화를 만들어 내다

2 두 문장을 접속사 Though를 이용하여 한 문장으로 만든 다음, 분사구문으로 바꿔 쓰시오.

> Victoria tried out for school musicals many times. But she never took one of the leading roles.

(1) Though ______________________________

______________________________.

(2) ______________________________

____

• try out 시도하다
• leading role 주연

빈출 유형 연습

3 밑줄 친 우리말과 일치하도록 주어진 단어를 이용하여 분사구문을 완성하시오. (필요 시 어형 변화 가능)

(1) 그의 집은 높은 곳에 위치해 있어서, his house commands a fine view.

(in, locate, place, high, a)

→ ______________________, his house commands a fine view.

(2) 그 사원은 수백 년 전에 지어졌음에도 불구하고, this temple remains safe.

(hundreds, years, build, ago, of)

→ ______________________, this temple remains safe.

- command a fine view 경치가 좋다
- temple 사원

4 밑줄 친 부분을 분사구문으로 바꿔 쓰시오.

A 10-year-old boy decided to learn judo despite the fact that he had lost his left arm in a devastating car accident. The boy began lessons with an old judo master. The boy was doing well, so he couldn't understand why, after three months of training, the master had taught him only one move. Though he did not quite understand his master, the boy kept training.

→ ______________________

- despite ~에도 불구하고
- devastating 지독한

[5~6] 다음 글을 읽고, 물음에 답하시오.

Edith Wharton was born into a wealthy family in 1862 in New York City. (A) As she was educated by private tutors at home, she enjoyed reading and writing early on. After her first novel, *The Valley of Decision*, was published in 1902, she wrote many novels and some gained her a wide audience. After World War I, she settled in Provence, France, and finished writing *The Age of Innocence* there. This novel won Wharton the 1921 Pulitzer Prize, (B) making her the first woman to win the award.

- private tutor 개인 교사
- publish 출판하다

5 밑줄 친 (A)를 분사구문으로 바꿔 쓰시오.

____

6 밑줄 친 (B)를 절로 바꿔 쓰시오.

____

내신 대비 문제

● 정답과 해설 p. 13

[1~2] 빈칸에 들어갈 말로 알맞은 것을 고르시오.

1

Jessica looked up the sky blankly, ___________ what to say next.

① not known ② known not
③ not knowing ④ knowing not
⑤ not to know

2

___________ from a spaceship, the Earth looks like a small ball.

① See ② To see
③ Seeing ④ Seen
⑤ Having seen

중요

3 다음 중 어법상 틀린 것은?

① Spending all the money, I can't buy more souvenirs.
② Having received so many messages, she couldn't answer them all.
③ Loved by him, she felt like she had everything she wanted.
④ Simply watch your puppy's activities, waited for a particular behavior to occur.
⑤ Having been taught by a great professor, Smith finished his degree successfully.

4 빈칸 (A)와 (B)에 들어갈 말끼리 짝 지어진 것은?

___(A)___ her name called, Amy stood up from her seat and made her way to the stage. Dr. Wilkinson was pinning a gold medal on each of the top five medical graduates. He shook Amy's hand and congratulated her on her accomplishment. Amy felt overwhelmingly thrilled for being mentioned as one of the top five medical graduates of her school. ___(B)___ with her academic performance, Amy walked back to her seat.

	(A)		(B)
①	Hear	–	To satisfy
②	Hearing	–	Satisfying
③	Hearing	–	Satisfied
④	Heard	–	Satisfying
⑤	Heard	–	Satisfied

중요

5 밑줄 친 ①~⑤ 중 어법상 틀린 것은?

With technology progressing faster than ever before, there are plenty of devices that consumers can install in their homes ① to save more water. More than 35 models of high-efficiency toilets are on the U.S. market today, some of which use less than 1.3 gallons per flush. ② Started at $200, these toilets are affordable and can help the average consumer ③ save hundreds of gallons of water per year. Appliances officially approved as most efficient ④ are tagged with the Energy Star logo to alert the shopper. Washing machines with that rating use 18 to 25 gallons of water per load, ⑤ compared with older machines that use 40 gallons.

중요

6 다음 두 문장의 의미가 같도록 할 때 알맞지 않은 것은?

① When I entered his room, I saw him sleeping.
= Entering his room, I saw him sleeping.

② As this book is written in easy English, it is suitable for beginners.
= Written in easy English, this book is suitable for beginners.

③ Jessie sat in the chair and she started to sing.
= Jessie sat in the chair, starting to sing.

④ Because Mary was so sick, she couldn't go to school.
= Having been so sick, Mary couldn't go to school.

⑤ As I felt hungry, I went outside to buy some food.
= Feeling hungry, I went outside to buy some food.

서술형

7 밑줄 친 부분이 어법상 맞으면 ○표, 틀리면 ×표 하고 바르게 고치시오.

(1) Preferred by young customers, the products all sold out.

(　　　) → ____________

(2) Trying the fruit, he refused to buy more of it.

(　　　) → ____________

(3) Drinking three cups of coffee during the day, she couldn't sleep at night.

(　　　) → ____________

(4) Asking why she didn't come, she couldn't answer.

(　　　) → ____________

서술형 고난도

8 다음 문장의 밑줄 친 부분을 구로 바꿔 쓰시오.

(1) As he had walked through the woods many times, he thought he knew every tree along the path.

→ ____________, he thought he knew every tree along the path.

(2) We were delayed on the way by a traffic jam, and we arrived at home after dark.

→ We were delayed on the way by a traffic jam, ____________.

(3) The students chose to tackle the obstacles, and they battled through every challenge in his path.

→ The students chose to tackle the obstacles, ____________.

(4) As he wasn't able to stand the pain, he went to see a doctor.

→ ____________, he went to see a doctor.

서술형 중요

9 빈칸 (A), (B)에 들어갈 단어를 [보기]에서 골라 어법상 알맞은 형태로 바꿔 쓰시오.

If you encounter a snake in the course of a hike, even if no harm comes, anxiety is likely aroused, ___(A)___ you on alert. If farther along the trail you notice a dark, slender, curved branch on the ground, an object you would normally ignore, you might now momentarily be likely to view it as a snake, ___(B)___ a feeling of fear.

보기

view　trigger　put　become

(A) ____________ (B) ____________

GRAMMAR POINT

06 주의해야 할 분사구문

접속사가 있는 분사구문

의미를 명확히 하기 위해 접속사를 남긴 분사구문

cf. (1) 분사구문을 전치사구로도 볼 수 있음.
(2) 부사절의 「주어+be동사」 생략으로도 볼 수 있음.

- (1) **After making** sure I had the right number, I called again. 〈시간〉
- (1) **Before leaving** my room, I turned off the lights. 〈시간〉
- (2) **While walking** along the street, she came across her teacher. 〈시간〉
- (2) **Unless** seriously **damaged**, it can be reused. 〈조건〉

with+목적어+분사

'(목적어가) ~하면서, ~한 채로' (부대 상황)

❶ **with+목적어+현재분사:** 목적어와 분사의 관계가 능동

- We are waiting for her in the car **with the engine running**. (the engine: 목적어, running: 현재분사(능동))

❷ **with+목적어+과거분사:** 목적어와 분사의 관계가 수동

- David was listening to music **with his eyes closed**. (his eyes: 목적어, closed: 과거분사(수동))

cf. with+명사+형용사(구)/부사(구)

- He was watching the movie **with his eyes** wide **open**. (his eyes: 목적어, open: 형용사)
- Robin was sitting still in his room **with all the lights off**. (all the lights: 목적어, off: 부사)
- She stood there **with her back next to mine**. (her back: 목적어, next to mine: 부사구)

독립분사구문

주어가 있는 분사구문
부사절의 주어와 주절의 주어가 다른 경우 주어를 명시하는 분사구문

- His class **being** over, William went for a walk. 〈His class ≠ William〉
  = When his class was over, William went for a walk.
- There **being** nothing to do, I went to the movies. 〈There ≠ I〉
  = As there was nothing to do, I went to the movies.

비인칭 독립분사구문

부사절의 주어가 we, you처럼 일반인인 경우 주어를 생략한 분사구문

generally speaking	일반적으로 말하면	judging from	~으로 판단하건대
roughly speaking	대강 말하면	considering (that)	~을 고려하면
broadly speaking	대체로 말하자면	speaking of	~에 관해 말한다면
strictly speaking	엄격히 말하면	taking ~ into account [consideration]	~을 고려하면
frankly speaking	솔직히 말하면		

- **Strictly speaking**, the accident was not your fault.
- **Frankly speaking**, I didn't do my best.
- **Judging from** what I heard, he'll be able to help you.
- **Taking** everything **into account**, the event was a great success.

☑ 출제 FOCUS **[어법]** 「with+목적어+분사」의 분사 형태 선택 **[서술형]** 「with+목적어+분사」의 분사 형태 수정

: 어법 확인

● 정답과 해설 p. 14

개념 확인

A 괄호 안에서 알맞은 것을 고르시오.

1 The young woman was sitting there, (as / with) her legs crossed.

2 (As / While) understanding your point of view, she still doesn't agree with you.

3 With the rain (came / coming) down, all the climbers started to go back home.

4 He was reading a book with his cat (sleeping / slept) at his feet.

5 Julie listened to the radio, with her eyes (closing / closed).

B 두 문장의 의미가 일치하도록 빈칸에 알맞은 말을 쓰시오.

1 When night came, it began to rain.
= With ______________, it began to rain.

2 When our dinner was over, we went out for a walk.
= Our dinner ______________, we went out for a walk.

3 As the sea was calm, we decided to swim.
= ______________, we decided to swim.

4 As we judge from his accent, he must be a foreigner.
= ______________ his accent, he must be a foreigner.

오류 수정

C 어법상 틀린 부분을 찾아 바르게 고치시오.

1 Weather(ⓐ) permitted(ⓑ), we will leave(ⓒ) as planned(ⓓ).
(   ) → ______________

2 My brother fell asleep(ⓐ) on(ⓑ) the couch with(ⓒ) the TV turning(ⓓ) on.
(   ) → ______________

3 Patrick was cooking(ⓐ) with his friends(ⓑ) waited(ⓒ) hungrily(ⓓ).
(   ) → ______________

4 All things(ⓐ) considering(ⓑ), this is(ⓒ) the best method(ⓓ).
(   ) → ______________

: 서술형 연습

● 정답과 해설 p. 15

대표 유형 어법상 틀린 부분 수정

기출 예제 밑줄 친 부분을 어법에 맞게 고쳐 쓰시오.

> How can we teach our children to memorize a broad range of information? Let me prove to you that all people are potential geniuses, ❶with brains ❷designing to store, control, and remember large amounts of information through memorization by repetition.

→ with brains ❸designed to store, control, and remember large amounts of information

풀이 방법 ❶ **출제 포인트:** 「with+목적어+분사」 구문에서 알맞은 분사 형태 파악

❷ **목적어와 분사의 관계 파악:** 두뇌(목적어)가 설계된(분사) 것으로 수동 관계

❸ **분사 형태 수정:** 현재분사 → 과거분사

대표 유형 연습

[1~3] 밑줄 친 부분을 어법에 맞게 고쳐 쓰시오.

1

> Young boys and girls began dancing to music. They danced in circles shaking their hands with their arms be raising over their heads.

→ ______________________________

2

> While doing the laundry, just do the laundry: Listen to the sound of the water as it fills the washing machine and feel the clothes in your hand. It doesn't take up any more time than it would when done with your phone pressing to your ear.

→ ______________________________

- laundry 세탁
- take up 차지하다

3

> While some sand is formed in oceans from things like shells and rocks, most sand is made up of tiny bits of rock that came all the way from the mountains! But that trip can take thousands of years. Glaciers, wind, and flowing water help move the rocky bits along, with the tiny travelers to get smaller and smaller as they go.

→ ______________________________

- form 만들다, 형성하다
- shell 조개껍질
- be made up of ~으로 이루어지다
- tiny 작은
- glacier 빙하

빈출 유형 연습

4 우리말과 일치하도록 주어진 표현을 이용하여 영작하시오. (필요 시 어형 변화 가능)

(1) 팔짱을 낀 채로, 그녀는 소파에 앉아 있었다. (fold, with, her arms)

______________________, she was sitting on the sofa.

(2) 만약 내일 날씨가 좋으면 나는 자전거를 타러 갈 것이다. (tomorrow, fine, be, it)

______________________, I will go on a bike ride.

• fold (손, 팔, 다리를) 끼다, 포개다

5 두 문장의 의미가 같도록 빈칸에 알맞은 말을 쓰시오.

(1) If we consider his current condition, he will wake up in a minute.

= ______________________, he will wake up in a minute.

(2) As there was no seat available in the bus, I had to stand up all the way.

= ______________________, I had to stand up all the way.

• current 현재의
• condition 상태

6 밑줄 친 ⓐ~ⓔ 중 어법상 틀린 것을 찾아 바르게 고쳐 쓰시오.

Predators evolved with eyes ⓐ faced forward — which ⓑ allows for binocular vision that offers accurate depth perception ⓒ when pursuing prey. Prey, on the other hand, often have eyes ⓓ facing outward, ⓔ maximizing peripheral vision, which allows the hunted to detect danger that may be approaching from any angle.

(   ) → ______________________

• predator 포식자
• evolve 진화하다
• binocular 두 눈으로 보는
• perception 인식
• pursue 쫓다
• prey 먹이
• maximize 최대로 하다
• peripheral 주변

7 주어진 표현을 배열하여 빈칸에 알맞은 말을 쓰시오. (필요 시 어형 변화 가능)

Give children options and allow them to make their own decisions — on how much they would like to eat, whether they want to eat or not, and what they would like to have. Include them in the decision-making process of what you are thinking of making for dinner. ______________________ during dinner, serve them a reasonable amount.
(discuss / when / eat / much / they / how / should)

____

• include 포함하다
• reasonable 합리적인
• amount 양

내신 대비 문제

● 정답과 해설 p. 15

1 밑줄 친 부분이 어법상 틀린 것은?

① Seeing a policeman, the man ran away as fast as he could.
② Having no time, I cannot give you a hand.
③ Considering her age, my grandmother is very active.
④ Being fine, my friend and I could go camping.
⑤ Being interested in the French Revolution, he went to France to study.

2 다음 중 어법상 맞는 것은?

① Entering the house, a strange sound was heard by Julie.
② Generally speaking, and this is not usual expression.
③ With her eyes lowered, she did not speak a word.
④ Never being here, I cannot find his house.
⑤ He was lying on the bed, with his eyes closing.

중요

3 어법상 틀린 부분을 찾아 고쳐 쓴 것 중 바르지 않은 것은?

① Don't sit with your legs crossing! (→ crossed)
② Writing in haste, this book has few mistakes. (→ Written)
③ Before leaving his office, he turned off the lights. (→ Leaving)
④ He not knowing what to do, he came to me for some help. (→ Not knowing)
⑤ Strictly spoken, the book is not a novel, but an essay. (→ speaking)

[4~6] 빈칸에 들어갈 말로 알맞은 것을 고르시오.

4

Seedy Sunday is a seed exchange event that has taken place every year since 2017. This year, it takes place on April 5, 2019 (11 a.m. – 4 p.m.) at Amherst Avenue Community Hall. Bring your seeds in envelopes with their names ________ on the outside.

① write ② writing
③ written ④ to be written
⑤ being written

5

On college campuses in the U.S. and around the world, some animals are helping students in need. With many students ________ depression and anxiety, school officials arrange pet therapy events to spread cheer and fight stress, especially during exams.

① report ② reporting
③ reported ④ to report
⑤ to be reporting

6

People are not always defined by their behavior. It is common to think, "He is so bossy," or "She is so mean," after ________ less-than-desirable behavior in someone. But you should never make such assumptions right away.

① observe ② observing
③ observed ④ being observed
⑤ having been observing

고난도

7 어법에 맞는 문장을 모두 고르면?

ⓐ Satisfied with my grade, Mom bought me a new backpack.
ⓑ Knowing not what to do, we called the police.
ⓒ It being very hot, we turned on the air conditioner.
ⓓ She stood there with her head faced to the ground.
ⓔ Judging from his voice, he is a young man.
ⓕ After having failing two times, he didn't want to try again.

① ⓐ, ⓒ, ⓓ ② ⓐ, ⓒ, ⓔ ③ ⓑ, ⓒ, ⓔ
④ ⓑ, ⓒ, ⓕ ⑤ ⓒ, ⓔ, ⓕ

서술형

8 빈칸에 들어갈 단어의 어법상 알맞은 형태를 쓰시오.

(1) Woojin ________________ (buy) a luxurious pen, his friend was very delighted.

(2) Frankly ________________ (speak), I love you.

(3) With an eye ________________ (bandage), I could not see well.

서술형 **중요**

9 주어진 표현을 배열하여 빈칸에 알맞은 말을 쓰시오. (필요 시 어형 변화 가능)

The Internet has made so much free information available on any issue that we think we have to consider all of it in order to make a decision. So we keep searching for answers on the Internet. This leaves us blind, like deer in headlights, ________________________.
(try / various / make / when / to / decisions)

→ ________________________________

서술형 **고난도**

10 다음 문장이 글의 요지가 되도록 [조건]을 참고하여 빈칸에 알맞은 말을 쓰시오.

Most of us have hired many people based on human resources criteria along with some technical and personal information that the boss thought was important. I have found that most people like to hire people just like themselves. This may have worked in the past, but today, with interconnected team processes, we don't want all people who are the same. In a team, some need to be leaders, some need to be doers, some need to provide creative strengths, some need to be inspirers, some need to provide imagination, and so on. In other words, we are looking for a diversified team where members complement one another.

조건
1. 주어진 단어를 활용하여 5단어로 쓸 것
members, team, when, new
2. 필요한 한 단어를 윗글에서 찾아 형태를 바꿔 쓸 것

글의 요지: ________________________, we need to look at how they fit into the team and share its objectives.

GRAMMAR POINT

07 상관 접속사 · 명사절 접속사

등위 접속사 – 상관 접속사

어법상 형태가 같은 두 개의 단어, 구, 절을 연결하는 접속사

❶ 종류

both A and B	A와 B 둘 다	either A or B	A 또는 B
not A but B	A가 아니라 B	neither A nor B	A도 B도 아닌
not only A but (also) B	A뿐만 아니라 B도 (= B as well as A)		

❷ 수 일치: 「both A and B」는 항상 복수 취급, 나머지는 B에 일치

- **Both** you **and** I are not wrong.
- **Neither** you **nor** he was present at the ceremony.
- **Not only** you **but also** the girl is tall. = The girl **as well as** you is tall.

❸ 병렬 구조: 어법상 같은 형태의 단어 · 구 · 절을 병렬 연결

- He can speak **both** English **and** French.
- Our goal is **not** to win every game **but** to do our best.
- I bought it **not only** because I liked the color **but also** because the price was reasonable.

종속 접속사 – 명사절 접속사

문장에서 명사 역할(주어, 목적어, 보어)을 하는 절을 이끄는 접속사

❶ that: '~라는 것', 확정적 사실을 말할 때 사용

- **That** he is absent today is surprising. 〈주어〉
  = It is surprising **that** he is absent today. 〈가주어〉
- John found **that** he had left his wallet at school. 〈목적어〉
- My suggestion is **that** we eat out tonight. 〈보어〉

cf. 동격절을 이끄는 접속사 that과 동격의 of

I heard the news **that** he was robbed.
= I heard the news **of** him being robbed.

❷ if, whether: '~인지 (아닌지)', 불확실하거나 의문이 드는 사실을 말할 때 사용

- **Whether** he will come here is not certain. 〈주어〉
- I wasn't sure **if/whether** she liked my present. 〈동사의 목적어〉

cf. 의문사 없는 의문문의 간접 화법을 나타낼 때 접속사 if 또는 whether 사용

Mary asked(전달동사) **if** she knew the news.(피전달문)

- I was curious about **whether** she would like my present. 〈전치사의 목적어〉
- The point is **whether** he will read this boring book or not. 〈보어〉

· if는 or not과 붙여 쓸 수 없음.
I don't know whether or not she is honest. (O)
I don't know if or not she is honest. (X)

❸ 의문사: 간접의문문의 형태로 명사절 접속사 역할

- **When** the teacher left the classroom is important. 〈주어〉
- **Who** hid the gold coins is still a mystery. 〈주어〉
- He wondered **how** the manager had found his mistakes. 〈목적어〉
- The question is **why** her brother went to the flower shop. 〈보어〉

· 의문사절의 어순: 대개 「의문사+주어+동사」, 의문사가 주어일 경우 「의문사+동사」

cf. 관계대명사 what과 복합관계사도 명사절을 이끎.
➡ GRAMMAR POINT 10

☑ 출제 FOCUS

[어법] 상관 접속사 구문의 수 일치와 병렬 구조 / 알맞은 명사절 접속사 선택 / 간접의문문 어순 완성
[서술형] 의문문이 있는 직접 화법의 간접 화법 전환 / 상관 접속사를 활용한 문장의 단어 배열

: 어법 확인

● 정답과 해설 p. 17

개념 확인

A 밑줄 친 부분이 어법상 맞으면 ○표, 틀리면 ×표 하시오.

1 I liked both the surrounding scenery and the wonderful snowy. [ ]

2 You can either take the final exam or submit an assignment. [ ]

3 Neither Julie nor you was allowed to attend the party. [ ]

4 She asked me if she could eat some of my cookies. [ ]

5 Whether is the device efficient is a matter of personal taste. [ ]

B 괄호 안에서 알맞은 것을 고르시오.

1 We made the law not to reject technology but (to make /making) it safe and secure.

2 The network connections are either disconnected or (disables / disabled).

3 Not only my bag but also our pictures (was / were) stolen.

4 Someone asked me (that / whether) 25 dollars was a little or a lot of money.

5 Don't forget to check if (your phone will / will your phone) work in Thailand.

6 Great apes can distinguish (if / whether) or not people need help to solve the problems.

오류 수정

C 어법상 틀린 부분을 찾아 바르게 고치시오.

1 The technique has been(ⓐ) extensively(ⓑ) used(ⓒ) not only in photography but also when(ⓓ) movie making.

( ) → ____________

2 MacDonald asked me that(ⓐ) anyone would want(ⓑ) to make(ⓒ) a deal with him(ⓓ).

( ) → ____________

3 She wonders if(ⓐ) not only Tom but also the other students(ⓑ) agrees(ⓒ) with her suggestion that all members have(ⓓ) a group meeting.

( ) → ____________

: 서술형 연습

● 정답과 해설 p. 17

대표 유형 문장 전환: 직접 화법 → 간접 화법

기출 예제 밑줄 친 문장을 ❶ 접속사를 이용한 간접 화법 문장으로 바꿔 쓰시오.

> An elderly carpenter was ready to retire. He told his boss of his plans to leave the house-building business to live a more leisurely life with his family. He would miss the paycheck each week, but he wanted to retire. The boss was sorry to see her good worker retire. And she ❷ said to him, ❸ "Can you build just one more house as a personal favor?"

→ And she ❷ asked him ❸ if (whether) he could build just one more house as a personal favor.

풀이 방법
❶ **출제 포인트:** 직접 화법 문장을 간접 화법 문장으로 전환
❷ **전달동사 전환:** said to → asked
❸ **피전달문의 접속사, 인칭대명사, 동사 시제 전환:** 의문사 없는 의문문의 간접 화법을 나타낼 때 접속사 if나 whether, 인칭대명사 you → him, 시제는 전달동사(said)와 같아야 하므로 과거 시제

대표 유형 연습

[1~2] 밑줄 친 문장을 접속사를 이용한 간접 화법 문장으로 바꿔 쓰시오.

1

> Recently on a flight to Asia, I met Debbie, who was warmly greeted by all of the flight attendants and the pilot. Amazed at all the attention being paid to her, I said to her, "Do you work with the airline?" She said no, but explained that she deserved the attention because it was her 100th flight with the airline.

Amazed at all the attention being paid to her, ______________________
______________________.

• **flight attendant** 비행기 승무원
• **deserve** ~을 받을 만하다

2

> He decided to try a different approach. The next time he found some of the workers not wearing their hard hats, he said to them, "Why aren't you wearing your hard hats?"

The next time he found some of the workers not wearing their hard hats,
______________________.

• **approach** 접근(법)
• **hard hat** 안전모

빈출 유형 연습

3 우리말과 일치하도록 주어진 단어에 상관 접속사를 추가하여 문장을 완성하시오.

(1) 음식을 요리하는 것은 창의적인 생각과 예술적 기술 둘 다 필요로 한다.

____

(needs, cooking, a, artistic, mind, skills, food, creative)

(2) 그는 그녀를 알아보지도 못하고 그녀의 이름을 기억하지도 못했기 때문에 미안했다.

He felt sorry because ______________________________.

(he, remembered, her, her name, recognized)

(3) Kevin은 그에게 버스 요금뿐 아니라, 따뜻한 음식에 충분할 만큼의 돈을 주었다.

____

(for, Kevin, him, enough, bus fare, gave, money, for, a warm meal)

- recognize 알아보다
- fare 요금

4 다음 글을 읽고, 빈칸에 알맞은 접속사를 쓰시오.

Some people believe that the social sciences are falling behind the natural sciences. They suggest that social scientists have failed to accomplish what might reasonably have been expected of them. Such critics are usually unaware of the real nature of social science. For example, they forget that the solution to a social problem requires knowledge, and it also requires the ability to influence people.

Q. According to the passage, what do 'such critics' forget?

A. They forget that the solution to a social problem requires __________ __________ knowledge __________ __________ the ability to influence people.

- fall behind 뒤처지다
- accomplish 달성하다
- reasonably 합리적으로
- critic 비평가
- unaware 알지 못하는

5 다음 글의 내용을 한 문장으로 요약하고자 할 때, 빈칸에 알맞은 말을 8단어로 쓰시오.

Doctors put in a positive mood before making a diagnosis show almost three times more intelligence than doctors in a neutral state, and make accurate diagnoses 19 percent faster. Students who are in a positive mood before taking math tests perform much better than their neutral peers.

➡ Our brains are programmed to perform at their best not when they are in a neutral state, ______________________________.

- diagnosis 진단
- neutral 중립의
- accurate 정확한

내신 대비 문제

● 정답과 해설 p. 18

1 빈칸에 들어갈 말로 알맞은 것은?

> It is questionable ________ or not his promises will be kept.

① if ② that ③ what
④ where ⑤ whether

고난도

2 어법상 틀린 것을 모두 고르면?

① It is amazing that your grades are so good.
② I agree with his advice of we should eat a nutritionally balanced diet.
③ I asked her if she still had the energy to continually travel the world.
④ I asked two groups of people if they had ever spent an afternoon picking up trash in the park.
⑤ They asked that American e-book readers could choose all the platforms they used for e-book reading.

중요

3 밑줄 친 문장과 의미가 같은 것은?

> Mr. Langdon was caught and taken to the judge. The judge asked him whether he had stolen the money.

① The judge said to him, "Do you steal the money?"
② The judge said to him, "Did you steal the money?"
③ The judge said to him, "Does he steal the money?"
④ The judge said to him, "Did he steal the money?"
⑤ The judge said to him, "Whether does he steal the money?"

고난도

4 어법상 틀린 부분을 찾아 고쳐 쓴 것 중 바르지 않은 것은?

① My friends either have and don't have dreams. (and → or)
② The trip was not monotonous but with education. (with education → educationally)
③ Motivation not only drives behavior but also creating willingness. (creating → creates)
④ Neither you nor he stay for very long. (stay → stays)
⑤ Both you and he is intelligent and generous. (is → are)

5 빈칸 (A)와 (B)에 들어갈 말끼리 짝 지어진 것은?

> The basis of cultural relativism is the notion ___(A)___ no true standards of good and evil actually exist. Therefore, judging ___(B)___ something is right or wrong is based on individual societies' beliefs, and any moral or ethical opinions are affected by an individual's cultural perspective.

① if – whether ② if – that
③ that – what ④ that – whether
⑤ what – whether

6 다음 우리말을 영작할 때 알맞은 것을 모두 고르면?

> 그녀는 과정뿐만 아니라 결과에도 책임이 있다.

① She is responsible not for the process but for its outcome.
② She is responsible either for the process or for its outcome.
③ She is responsible neither for the process nor for its outcome.
④ She is responsible for the outcome as well as its process.
⑤ She is responsible not only for the process but also for its outcome.

서술형

7 다음 우리말과 일치하도록 주어진 단어를 바르게 배열하시오.

(1) 당신은 피자 또는 햄버거를 자유롭게 선택할 수 있다.

→ You are free to ______________________________.

(hamburger / or / choose / pizza / either)

(2) 이 새로운 방식은 근로자들의 삶을 향상시킬 뿐만 아니라, 창의성을 발전시키기도 한다.

→ This new measure ______________________________.

(only / develops / but / workers' / not / improves / also / lives / creativity)

(3) 그는 토론 동아리 회원이 아니라 볼링 동아리 회원이다.

→ He is ______________________________.

(not / of / a / member / debating club / a / bowling club / member / but / of)

서술형 중요

8 밑줄 친 (A)와 (B)를 같은 의미의 평서문으로 바꿔 쓰시오.

> Leaving a store, I returned to my car only to find that I'd locked my car key and cell phone inside the vehicle. A teenager saw me kick a tire in frustration. (A) "What's wrong?" he asked. I explained my situation. "But even if I could call my husband," I said, "he couldn't bring me his car key, since this is our only car." He handed me his cell phone and said, "Can you call your husband?"

(A) ______________________________

(B) ______________________________

서술형 고난도

9 다음 문장이 글의 요지가 되도록 [조건]을 참고하여 빈칸에 알맞은 말을 쓰시오.

> Perhaps the biggest mistake that most investors make when they first begin investing is getting into a panic over losses. This is a major obstacle to making a strong and long-lasting plan. We work hard for our money, and we want to see it grow and work hard for us. But what most beginning investors don't understand is that investing in the stock market is a risk, and that with risk, you sometimes take losses. Although an investment may be falling in price, it doesn't mean you have to abandon it in a rush. In the long run, your investment might reap the result of long-term growth.

조건

1. 주어진 단어를 활용하여 8단어로 쓸 것 (중복 사용 가능)
   losses, on, long-term, short-term, growth
2. 적절한 접속사를 추가하여 쓸 것

글의 요지: Beginner investors should focus ______________________________.

GRAMMAR POINT

08 부사절 접속사

종속접속사 – 부사절 접속사

- 시간·조건 부사절에서 현재 시제가 미래를 나타냄.
- since절의 주절에는 완료 시제가 많이 쓰임.

❶ 시간 부사절

when (~할 때)	**When** the movie is over, I will go home.
while (~하는 동안)	Sit down **while** you are waiting.
as (~할 때)	I finished my task **as** my boss said, "Stop!"
since (~ 이래로)	It has been three years **since** I started yoga.
as soon as (~하자마자)	I rewrote my report **as soon as** I received the feedback.

❷ 조건 부사절

if (~하면)	**If** the price comes down, I will buy that.
unless = if ~ not (~하지 않는다면)	I won't contact you **unless** something happens.
as long as (~하는 한)	You can go **as long as** your mother permits it.
provided / providing / suppose / supposing (that) (만일 ~하면)	**Provided that/Providing** you stick to the rules, you should have no problems. **Suppose/Supposing (that)** you are elected, what will you do for your supporters?
in case (~인 경우에는/~할 경우에 대비하여)	**In case** you need more time, I'll book us a latter appointment. I'll stay around **in case** you need me.
given that (~을 고려하면)	**Given that** the test was hard, it's no wonder Tom failed it.

if 대용 어구: provided / providing / suppose / supposing (that), in case, given that

❸ 이유 부사절

because / since / as (~ 때문에)	We were late **because** there was a traffic jam. I didn't go outside **as** it was raining.

- (even) though: 부사절 내용이 사실임을 전제로 함.
- even if: 부사절 내용이 가정·가상의 의미를 가짐.

❹ 양보 부사절

though / although / even though / even if (비록 ~이지만)	**Although** he washed the shirt, the stain didn't come out. **Even if** I should fail, I'll try again.

❺ 결과 부사절

so ~ that (너무 ~해서 …하다)	The moonlight was **so** bright **that** we didn't need a flashlight.

접속사 vs. 전치사

- 접속사 + 절
- 전치사 + 명사(구)
  - ~ 동안: while / during
  - ~ 때문에: because / because of
  - ~일지라도: although / despite

- I met my friend **while** I was on vacation.
  I met my friend **during** a vacation.
- I felt good **because** my teacher praised me.
  I was nervous **because of** the upcoming math test.
- **Although** he is very old, he looks very young.
  Despite(In spite of) his age, he looks very young.

☑ 출제 FOCUS [어법] 부사절의 의미 파악과 적절한 접속사 선택 [서술형] 부사절 영작

: 어법 확인

● 정답과 해설 p. 19

개념 확인

A 괄호 안에서 알맞은 것을 고르시오.

1 (If / Unless) we have a severe storm in the morning, we will hold the event as planned.

2 Sharks won't attack first if you (stay / will stay) still.

3 One study focused on how people communicated (while / during) they were watching TV.

4 (Because / Because of) his absence, the meeting didn't go well.

5 (Although / Even if) he had thoroughly prepared the presentation, he couldn't deliver it well.

6 (When / Even though) you're going back to your country, I won't forget you.

B 빈칸에 알맞은 말을 쓰시오.

1 I think you should take an umbrella with you ________ case it rains.

2 Ten years have passed ________ he emigrated to the United States.

3 You will be able to buy the shirt, provided ________ they have the right size for you.

4 I will send you the data as ________ as I get home.

5 They seem happy together, ________ though they are so poor.

6 I will come to your birthday party as ________ as I don't have to dance.

오류 수정

C 어법상 틀린 부분을 찾아 바르게 고치시오.

1 Since(ⓐ) the benefits sounded(ⓑ) so good, they only thought(ⓒ) about(ⓓ) the negative consequences.
( ) → ________

2 If(ⓐ) I fall asleep(ⓑ), please don't make any noise during(ⓒ) you're(ⓓ) in the living room.
( ) → ________

3 Although(ⓐ) she had cold, she sang so(ⓑ) beautifully(ⓒ) as(ⓓ) I cried.
( ) → ________

4 Giving that(ⓐ) Olivia is just 16 years old(ⓑ), her abilities are(ⓒ) really amazing(ⓓ).
( ) → ________

: 서술형 연습

● 정답과 해설 p. 20

대표 유형 **우리말 뜻에 맞게 영작: 부사절 영작**

기출 예제 다음 우리말을 영작할 때 빈칸에 알맞은 말을 [조건]에 맞게 쓰시오.

❷ 그녀는 출판업자를 찾을 수 없었기 때문에 그녀의 두 번째 소설을 미완으로 두었다.
→ She left her second novel incomplete ❸ because(as/since) ❹ she was unable to find a publisher.

조건
1. 주어진 표현을 모두 활용하여 쓸 것 (필요 시 어형 변화 가능) be able to, publisher, find
2. ❶ 부사절의 의미가 통하도록 ❸ 접속사를 추가할 것

풀이 방법
❶ **출제 포인트:** 부사절 영작
❷ **빈칸에 해당하는 우리말 파악:** 빈칸에는 '그녀는 출판업자를 찾을 수 없었기 때문에'라는 의미의 표현이 들어가야 함.
❸ **알맞은 부사절 접속사 선택:** 이유를 나타내므로 because, as, since를 씀.
❹ **표현 배열 및 점검:** 우리말 뜻에 맞게 주어, 동사, 목적어 순으로 배열, be동사는 과거형이 되어야 하고 publisher 앞에는 부정관사 a 삽입

대표 유형 연습

[1~2] 다음 우리말을 영작할 때 빈칸에 알맞은 말을 [조건]에 맞게 쓰시오.

1
Robin Hood이 좋은 의도를 진정 가졌을 지라도, 그는 그 아이들을 돕기 위해 다른 것들을 할 수도 있었다.
→ ____________________, he could have done other things to help the children.

조건
1. 주어진 표현을 모두 활용하여 쓸 것 (필요 시 어형 변화 가능)
do, have, intentions, good
2. 부사절의 의미가 통하도록 접속사를 추가할 것

• intention 의도

2
그녀가 시드니를 방문할 경우에 대비하여 나는 시드니 여행에서 해야 할 일 목록을 만들었다.
→ ____________________, I made a to-do list for a Sydney tour.

조건
1. 주어진 표현을 모두 활용하여 쓸 것 (필요 시 어형 변화 가능)
Sydney, she, visit
2. 부사절의 의미가 통하도록 접속사를 추가할 것

• to-do list 해야 할 일 목록

빈출 유형 연습

[3~5] 다음 두 문장의 의미가 같도록 빈칸에 알맞은 절을 쓰시오.

3 On hitting the prism, the white ray separated into the familiar colors of the rainbow.

= ____________________, it separated into the familiar colors of the rainbow.

4 They were standing near enough for me to hear them.

= They were standing ____________________.

5 Children are too young to control their eating habits.

= Children are ____________________.

6 빈칸 (A)~(C)에 공통으로 들어갈 접속사를 쓰시오.

Social relationships benefit from people giving each other compliments now and again ___(A)___ people like to be liked and like to receive compliments. They serve self-interest ___(B)___ liars may gain satisfaction when they notice that their lies please other people, or ___(C)___ they realize that by telling such lies they avoid an awkward situation or discussion.

____

- compliment 칭찬
- satisfaction 만족
- awkward 어색한

7 밑줄 친 ⓐ~ⓔ 중 어법상 틀린 곳을 3개 찾아 바르게 고치시오.

Thank you for staying at our hotel. ⓐ When our hotel opened in 1976, we have been committed to protecting our planet by reducing our energy consumption and waste. ⓑ We have adopted a new policy and we need your help. ⓒ If you will hang the Eco-card at your door, we will not change your sheets, pillow cases, or pajamas. In addition, we will leave the cups untouched ⓓ if they need to be cleaned. ⓔ We appreciate your cooperation with our eco-friendly policy.

(   ) → ____________________

(   ) → ____________________

(   ) → ____________________

- be committed to -ing ~에 전념하다, 헌신하다
- consumption 소비
- adopt 채택하다
- eco-friendly 환경 친화적인

내신 대비 문제

● 정답과 해설 p. 21

[1~2] 빈칸에 들어갈 말로 알맞은 것을 고르시오.

1

> Meghan Vogel was tired. She had just won the 2012 state championship in the 1,600-meter race. She was ________________ in last place toward the end of her next race, the 3,200 meters.

① so exhausted afterward that to be
② so exhausted afterward that she was
③ so exhausted afterward which she was
④ too exhausted afterward that she be
⑤ too exhausted afterward that she was

2

> Trade will not occur ________________ what the other party has to offer. Suppose a farmer wants to trade eggs with a baker for a loaf of bread. If the baker has no need or desire for eggs, then the farmer is out of luck and does not get any bread.

① if both parties want
② unless both parties want
③ if both parties will not want
④ when both parties will want
⑤ even though both parties want

3 빈칸에 들어갈 수 없는 것을 모두 고르면?

> Kids will continue to watch the video clips ________ their parents give them free time.

① if ② when ③ during
④ despite ⑤ although

4 빈칸 (A), (B)에 들어갈 말끼리 짝 지어진 것은?

> Many Joshua trees have been moved to be planted in urban areas, ___(A)___ a very low rate of survival ___(B)___ they are moved and planted in other places.

	(A)		(B)
①	despite	–	during
②	despite	–	when
③	although	–	during
④	although	–	when
⑤	in spite of	–	during

[5~6] 다음 중 어법상 맞는 것을 고르시오.

5

① During I was taking the exam, I tried to calm my nerves.
② As soon as her dog will lie down, she gives him the order.
③ She was not able to paint when the later years of her life.
④ Although they were not rich, they were satisfied with their life.
⑤ Neither behavior could be directly causing the other despite there was a relationship.

6

① If you will stay near a tree, you will notice that the air is fresh.
② Unless you will be unusually gifted, you will have to work very hard.
③ Even if your friends do not tell you how they are feeling, you would be able to make a good guess about what kind of mood they are in.
④ A tree's ring tells us what the weather was like while each year of the tree's life.
⑤ Because of trees are sensitive to local climate conditions, they give us information.

고난도

7 빈칸 (A)~(E)에 들어갈 말로 알맞지 않은 것은?

- I like Oliver ___(A)___ he is smart and gentle.
- The story was genuinely brilliant — ___(B)___ it was refused by all publishers the first time.
- ___(C)___ that you are offered the main role, will you take it?
- I'll do the laundry ___(D)___ it rains tomorrow.
- They practiced ___(E)___ hard that they ended up winning all the games.

① (A) – because
② (B) – though
③ (C) – Provide
④ (D) – unless
⑤ (E) – so

서술형

8 우리말 뜻을 참고하여 [보기]에서 알맞은 접속사를 고른 다음, 주어진 단어를 배열하여 빈칸에 알맞은 말을 쓰시오. (필요 시 어형 변화 가능)

보기

given that   since   as soon as

(1) 그는 그것에 관해 몇 가지 알게 되자마자 네게 연락할 것이다.

He will let you know ______________________
______________________.

(something / it / he / know / about)

(2) 네가 매일 열심히 공부하는 것을 고려해 보면, 너는 좋은 성적을 받을 것이다.

______________________,
you will get a good grade.
(every day / hard / you / study)

(3) 비가 여전히 내리고 있었기 때문에 우리는 해변으로 캠핑을 갈 수 없었다.

We couldn't go camping on the beach, ______
______________________.

(still / rain / it / be)

서술형 중요

9 밑줄 친 부분이 어법상 맞으면 ○표, 틀리면 ×표 하고 바르게 고치시오.

(1) Since it is very dark at night in the mountains, it is required to carry a flashlight.

(   ) → ______________________

(2) In spite of he had no courage to make a speech, he applied for the speech contest.

(   ) → ______________________
____

(3) In case a fire will break out, make sure you know where the nearest exit is.

(   ) → ______________________

서술형 중요

10 빈칸 (A)~(D)에 알맞은 표현을 [보기]에서 골라 쓰시오. (중복 사용 가능)

___(A)___ I was very young, I had a difficulty telling the difference between dinosaurs and dragons. But there is a significant difference between them. Dragons appear in Greek myths, legends about England's King Arthur, Chinese New Year parades, and in many tales throughout human history. But ___(B)___ they feature in stories created today, they have always been the products of the human imagination and never existed. Dinosaurs, however, did once live. They walked the earth for a very long time, ___(C)___ human beings never saw them. They existed around 200 million years ago, and we know about them ___(D)___ their bones have been preserved as fossils.

보기

despite	even if	when
as soon as	because	during
suppose that	given that	unless

(A) ____________   (B) ____________
(C) ____________   (D) ____________

GRAMMAR POINT

09 관계대명사

관계대명사의 종류

앞에 오는 명사(선행사)를 대신하면서 두 개의 절을 연결하는 대명사

선행사	사람	사물	사람 · 사물	선행사 포함
주격	who	which	that	what (= the thing(s) that/which)
목적격	who(m)	which	that	what (= the thing(s) that/which)
소유격	whose	whose	–	–

- I have a friend. + He lives in Vancouver.
  = I have a friend **who(that)** lives in Vancouver. 〈주격 관계대명사〉
- I have a friend. + James introduced him to me.
  = I have a friend **(who(m)/that)** James introduced to me. 〈목적격 관계대명사〉
- I saw a painting. + Its colors were bright.
  = I saw a painting **whose** colors were bright. 〈소유격 관계대명사〉
- I don't believe **what** you've just said. 〈선행사 포함 관계대명사〉

관계대명사의 용법

cf. 관계대명사 that의 특별 용법
(1) that을 꼭 써야 하는 경우
- 선행사에 최상급, 서수, 의문사가 올 때
- 선행사에 all, every, any, much, little, no, the very, the only, the same 등이 올 때

(2) that을 쓸 수 없는 경우
- 전치사 뒤
- 콤마(,) 뒤

한정적 용법	계속적 용법
• 앞의 명사 또는 대명사 수식 • 앞에 콤마(,) 없음.	• 「접속사+대명사」 역할 • 앞에 콤마(,) 있음. • 명사(구) 외에 문장 전체를 선행사로 받을 수 있음.

- The man **who** wrote this article is a journalist. 〈한정적 용법〉
- I met my teacher, **who** encouraged me to study harder. (○) 〈계속적 용법 / who = and he〉
  I met my teacher, **that** encouraged me to study harder. (×)
- My son read many books, **which** made me happy. 〈계속적 용법 / which = and it(앞 문장)〉

cf. 「주격 관계대명사+be동사」 생략
The people **(who are)** standing next to the tree are my friends.
She gave me books **(which were)** written in Chinese.

관계대명사 vs. 접속사

		선행사	뒤에 오는 절
관계대명사	that / which	○	불완전
	what	× (포함)	불완전
접속사	that	×	완전

- I saw trees **that** have lovely blossoms in spring. 〈관계대명사〉
- I saw **what** she bought yesterday. 〈관계대명사〉
- I know **that** she won't recognize me. 〈접속사〉

☑ 출제 FOCUS

[어법] 관계대명사 that과 접속사 that 구분 / 알맞은 관계대명사 선택 / 관계대명사 절의 수 일치
[서술형] 관계대명사를 활용한 문장의 단어 배열

: 어법 확인

● 정답과 해설 p. 22

개념 확인

A 밑줄 친 부분이 어법상 맞으면 ○표, 틀리면 ×표 하시오.

1 He started to find companies whose brand logos were a circle. [ ]

2 My parents gave me that I wanted to have. [ ]

3 He took a new job what had a long commute. [ ]

4 The bottle of cola was 888 ml, that was quite a strange quantity to me. [ ]

5 The students who dancing on the stage look like professional dancers. [ ]

B 괄호 안에서 알맞은 것을 모두 고르시오.

1 (That / What / Which) matters most to be a cook is to love cooking first.

2 The lady (who / whom / whose) you met yesterday is my English teacher.

3 Using hand gestures while you speak helps people remember (that / what / which) you say.

4 Using reusable products is considered a green action, (that / what / which) helps the environment.

5 What counts (is / are) not quantity but quality.

6 The news (that / which) Tina won the gold medal surprised everyone.

오류 수정

C 어법상 틀린 부분을 찾아 바르게 고치시오.

1 What(ⓐ) our ancestors wrote contains(ⓑ) a lot of symbols which(ⓒ) intended meaning is(ⓓ) well-known.

( ) → ______________

2 His mother's steady and consistent parenting made him reflect(ⓐ) on that(ⓑ) he had done(ⓒ), which(ⓓ) helped him learn to respect others.

( ) → ______________

3 They believed that(ⓐ) the silver standard could put more money in the market and help it circulate, that(ⓑ) could help them pay(ⓒ) their debts more easily(ⓓ).

( ) → ______________

: 서술형 연습

● 정답과 해설 p. 23

대표 유형 **구문 배열: 관계대명사 구문의 어순 배열**

기출 예제 주어진 표현을 배열하여 빈칸에 알맞은 말을 쓰시오. (필요 시 어형 변화 가능)

> The news cycle, the job of the journalist, never takes a break. ❷Thus ❶❸the "24-hour" news cycle ❸that ❹emerged ❺from the rise of cable TV is now a thing of ❹the past. The news "cycle" is really a constant.
> (from / of cable TV / emerge / the rise / ❶that)

풀이 방법
❶ **출제 포인트:** 선행사와 관계대명사절 연결
❷ **부족한 문장 성분 파악:** 빈칸 문장에 부족한 문장 성분 없으므로 주어 수식어구가 들어가야 함.
❸ **공통 부분 파악:** 빈칸 앞 선행사(the "24-hour" news cycle)와 대응되는 관계대명사(that) 먼저 쓰기
❹ **동사 찾아 시제 일치:** '이제 과거의 것이다'라고 했으므로 동사 emerge를 과거형 emerged으로 수정
❺ **나머지 부분 배열:** 나머지 부사구 배열

대표 유형 연습

[1~2] 주어진 표현을 배열하여 빈칸에 알맞은 말을 쓰시오. (필요 시 어형 변화 가능)

1

> Despite your efforts, it is beyond our facility's capacity to care for animals with special needs. Without community members ____________ ____________, our shelter will quickly fill up with difficult-to-adopt cases.
> (these pets / take / into their homes / who)

→ ______________________________

- facility 시설
- capacity 수용 능력

2

> The other main clue you might use to tell what a friend is feeling would be to look at his or her facial expression. We have lots of muscles in our faces ______________________ into lots of different positions.
> (enable / to move / which / our face / us)

→ ______________________________

- clue 단서
- facial expression 표정

빈출 유형 연습

3 주어진 표현을 활용하여 밑줄 친 우리말을 영작하시오.

(1) They think and talk about the specific steps 그들이 그것들을 얻기 위해서 취할 수 있는. (take, get)

____

(2) Participants chose the photo 그들이 생각하기에 가장 매력적인 and handed it to researchers. (think, attractive, be)

____

4 빈칸 (A), (B), (C)에 알맞은 단어를 쓰시오.

Bad lighting can increase stress on your eyes, as can light that is too bright, or light that shines directly into your eyes. Fluorescent lighting can also be tiring. ___(A)___ you may not appreciate is that the quality of light may also be important. Most people are happiest in bright sunshine — this may cause a release of chemicals in the body ___(B)___ bring a feeling of emotional well-being. Artificial light, ___(C)___ typically contains only a few wavelengths of light, do not seem to have the same effect on mood that sunlight has.

(A) __________ (B) __________ (C) __________

- fluorescent lighting 형광등
- appreciate 이해하다
- artificial 인공의, 인위적인
- wavelength 파동

5 밑줄 친 ⓐ~ⓓ 중 어법상 틀린 것 두 개를 찾아 바르게 고쳐 쓰시오.

It is commonly known ⓐ that when people's hearts stop and they breathe their last, they are dead. But in the last half-century, doctors have proved time and time again that they can revive many patients ⓑ which hearts have stopped beating by various techniques such as cardiopulmonary resuscitation. So a patient ⓒ whose heart has stopped can no longer be regarded as dead. Instead, the patient is said to be 'clinically dead'. Someone ⓓ what is only clinically dead can often be brought back to life.

(　　　) → ______________________________

(　　　) → ______________________________

- revive 회복시키다
- cardiopulmonary resuscitation 심폐소생술
- clinically 임상적으로

내신 대비 문제

● 정답과 해설 p. 23

1 빈칸에 들어갈 말로 알맞은 것은?

> Some study guides advocate filling out elaborate calendars so you will know ________ you are supposed to be doing during every minute, hour, and day throughout the entire semester.

① who　② which　③ that
④ what　⑤ whose

2 빈칸에 공통으로 들어갈 말로 알맞은 것은?

> Rushing the creative process can lead to results ________ are below the standard of excellence ________ could have been achieved with additional time.

① who　② whom　③ whose
④ what　⑤ that

중요

3 다음 밑줄 친 부분 중, 생략할 수 없는 것은?

① A person's confidence is linked to the kind of food that he or she tends to enjoy eating.
② The students were not allowed to keep the poster that they had rated as the third-most beautiful.
③ Some participants stood next to their close friends whom they had known a long time.
④ It is a good idea to praise employees who bring food in without being asked.
⑤ Food is one of the most important tools that you can use as a manager.

[4~5] 다음 두 문장을 한 문장으로 바꿔 쓸 때, 알맞은 것을 고르시오.

4

> Mobile phones contain much personal information. The information should be kept securely.

① Mobile phones contain much personal information who should be kept securely.
② Mobile phones contain much personal information that should be kept securely.
③ Mobile phones contain much personal information what should be kept securely.
④ Mobile phones contain much personal information whom should be kept securely.
⑤ Mobile phones contain much personal information in which should be kept securely.

5

> One of my friends recommended me a book. The book's title was very strange.

① One of my friends recommended me a book that title was very strange.
② One of my friends recommended me a book which title was very strange.
③ One of my friends recommended me a book whose title was very strange.
④ One of my friends recommended me which the book's title was very strange.
⑤ One of my friends recommended me whose the book's title was very strange.

6 밑줄 친 부분과 바꿔 쓸 수 있는 것은?

> Swahili is a language spoken in some East African countries.

① what spoken ② what are spoken
③ that are spoken ④ which is spoken
⑤ which are spoken

중요

7 밑줄 친 우리말을 영어로 바르게 쓴 것은?

> If you want people to read and understand what you write, write it in spoken language. Written language is more complex, 이는 읽는 것이 더 많은 일이 되게 한다.

① that made it more work to read
② that makes it more work to read
③ what makes it more work to read
④ which made it more work to read
⑤ which makes it more work to read

서술형

8 어법상 틀린 곳을 찾아 바르게 고쳐 쓰시오.

(1) One of the men have made great donations this year is Mr. Anderson.

______ → ______

(2) He offered me a cup of green tea, of which I declined.

______ → ______

(3) All this was done by a kid whose we thought was too young.

______ → ______

서술형 중요

9 빈칸 (A)~(C)에 알맞은 단어를 쓰시오.

> Everyone knows ___(A)___ dogs make wonderful pets. But many dogs also have different jobs. Some dogs, for example, are used by the police. Often these dogs help people in trouble or find people ___(B)___ are lost. Other dogs work at airports. They sniff out plants, food, and other things ___(C)___ people are not supposed to bring in from other countries.

(A) ______ (B) ______ (C) ______

서술형 고난도

10 다음 글의 내용을 한 문장으로 요약하고자 한다. 빈칸에 알맞은 말을 [조건]에 맞게 쓰시오.

> Certainly praise is critical to a child's sense of self-esteem, but when given too often for too little, it kills the impact of real praise when it is called for. Everyone needs to know they are valued and appreciated, and praise is one way of expressing such feelings — but only after something *praiseworthy* has been accomplished. Awards are supposed to be *rewards* — reactions to positive actions, honors for *doing something well*! The ever-present danger of handing out such honors too lightly is that children may know what things will result in prizes and develop a tendency to do only those things.

⬇

> Praising children too often for too little is not good because they may develop a tendency to do only the things ______________.

조건
1. 마지막 문장에 있는 표현을 사용하여 5단어로 쓸 것
2. 관계대명사를 이용하여 쓸 것

GRAMMAR POINT

10 관계부사 · 복합관계사

관계부사의 종류와 용법

- 수식어구를 선행사와 연결하여 접속사와 부사의 역할을 하는 것
- 「전치사+관계대명사」로 전환 가능

cf. 관계대명사 vs. 관계부사
- 관계대명사+불완전한 절
- 관계부사+완전한 절

관계부사(전치사+관계대명사)	선행사
when(at/on/in/during which)	시간 (the time/the day/the year ...)
where(at/on/in/to/from which)	장소 (the place/the point/the case/the program/ the situation ...)
why(for which)	이유 (the reason)
how / in which (선행사와 동시 사용 불가)	방법 (the way)
that	시간, 장소 (anywhere, somewhere ...), 이유, 방법

❶ 한정적 용법

- I remember the day **when**(on which) I visited the art museum.
- This is the place **where**(at which) I met my favorite actress.
- I have a specific reason **why**(for which) I don't want to go to your place.
- That's the way (**that**(in which)) the system works efficiently.
  = That's **how** the system works efficiently.

❷ 계속적 용법 (when, where)

- She went to Paris, **where** she stayed for two weeks. 〈where = and there〉
- Let's talk about that again at three, **when** I'll be back home. 〈when = and then〉

복합관계대명사의 종류와 용법

- 형태: 관계대명사+-ever

cf. 복합관계형용사
whatever, whichever
- 복합관계대명사가 형용사 역할을 하는 것
- 명사절이나 양보 부사절을 이끎.

	명사절	양보 부사절
whoever	~하는 누구든 (= anyone who)	누가 ~하더라도 (= no matter who)
whatever	~하는 무엇이든 (= anything that)	무엇을 ~하더라도 (= no matter what)
whichever	~하는 어느 것이든 (= anything which)	어느 것을 ~하더라도 (= no matter which)

- **Whoever**(Anyone who) leaves the room last should turn off the light.
- I will accept **whatever**(anything that) my parents tell me.
- **Whichever**(No matter which) wins, I don't care.

복합관계부사의 종류와 용법

- 형태: 관계부사+-ever

	시간 · 장소 부사절	양보 부사절
whenever	~하는 언제든 (= at any time when)	언제 ~하더라도 (= no matter when)
wherever	~하는 어디든 (= at any place where)	어디서 ~하더라도 (= no matter where)
however	–	아무리 ~해도 (= no matter how + 형용사/부사) 어떻게 ~할지라도 (= by whatever means)

- Send me a text message, **whenever**(at any time when) you want to reach me.
- **Wherever**(No matter where) you go, I will follow you.
- **However hard**(No matter how hard) she exercised, she couldn't lose weight.

☑ 출제 FOCUS

[어법] 관계부사와 관계대명사 구분 / 복합관계사의 용법 구분

[서술형] 관계부사와 관계대명사 구분 · 수정 / 관계부사절의 단어 배열 / 복합관계사를 이용한 문장 전환

: 어법 확인

● 정답과 해설 p. 25

개념 확인

A
밑줄 친 부분이 어법상 맞으면 ○표, 틀리면 ×표 하시오.

1 The time when we can enjoy space travel easily will soon come. [ ]

2 The film will show you the way how our ancestors have lived. [ ]

3 The guest house at where we stayed was in bad condition. [ ]

4 They went to Old Trafford which the championship match was held. [ ]

5 Whatever happens, we won't give up. [ ]

B
빈칸에 알맞은 말을 [보기]에서 골라 쓰시오.

보기
where when whenever whoever whichever

1 I plan on organizing a hobby day ______ we all have chances to enjoy each other's hobbies.

2 She provides a program ______ women are taught to become rickshaw drivers.

3 ______ is elected, we should accept him/her as our leader.

4 ______ Angela felt down, her mother encouraged her.

5 He was sure that she would like ______ movie he selected.

오류 수정

C
어법상 틀린 부분을 찾아 바르게 고치시오.

1 Learning(ⓐ) the special symbolism of flowers became popular during(ⓑ) the 1800s, which(ⓒ) each flower was assigned(ⓓ) a particular meaning.

( ) → ______

2 The technique can be used(ⓐ) in a movie scene(ⓑ) which(ⓒ) dinosaurs are threatening(ⓓ) the heros.

( ) → ______

3 As soon as(ⓐ) harmony is disrupted(ⓑ), we do however(ⓒ) we can to restore it(ⓓ).

( ) → ______

4 This allows you to have(ⓐ) wherever(ⓑ) experiences that(ⓒ) you want for(ⓓ) the duration of your life.

( ) → ______

: 서술형 연습

● 정답과 해설 p. 25

대표 유형 어법상 틀린 부분 수정

기출 예제 밑줄 친 (A), (B)를 어법에 맞게 고쳐 쓰시오.

The walk will be more interesting and feel safer. (A) ❸Events ❶which ❷we can watch people perform or play music attract many people to stay and watch. Studies of benches and chairs in city space show that the seats with the best view of city life are used far more frequently than (B) ❸those ❶where ❷do not offer a view of other people.

(A) ❸Events where(at which) we can watch people perform

(B) ❸those that(which) do not offer a view of other people

풀이 방법

❶ **출제 포인트:** 관계부사와 관계대명사 구분

❷ **관계사의 쓰임 파악:** (A) 'we can watch people perform' 절이 완전하므로 관계대명사가 아닌 관계부사 필요

(B) 'do not offer a view of other people' 절이 주어가 없는 불완전한 절이므로 관계대명사 필요

❸ **선행사에 맞는 관계사 선택:** (A) 선행사가 장소(Events)이므로 관계부사 where 또는 at which로 수정

(B) 선행사가 사물(those = the seats)이고 관계사절에서 주어로 쓰이므로 주격 관계대명사 that 또는 which로 수정

대표 유형 연습

[1~3] 밑줄 친 부분을 어법에 맞게 고쳐 쓰시오.

1 After losing the race, the tortoise did some thinking and realized that there was no way how he could beat the hare in a race.

→ ______

- **tortoise** 거북
- **beat** 이기다
- **hare** 토끼

2 Newspaper stories and television reports required one central place for which a reporter would submit his or her news story for printing, broadcast, or posting.

→ ______

- **broadcast** 방송하다

3 Some years ago at the national spelling bee in Washington, D.C., a thirteen-year-old boy was asked to spell *echolalia*, a word that means a tendency to repeat whenever one hears.

→ ______

- **spelling bee** (단어) 철자 맞히기 대회
- **tendency** 경향

빈출 유형 연습

4 **주어진 단어를 배열하여 다음 우리말을 영작하시오. (필요 시 어형 변화 가능)**

(1) 당신이 가장 많이 쇼핑하는 식료품점을 상상해 보라.

(store / imagine / where / you / the / shop / most / the / grocery)

____

(2) 나는 모든 것을 통제할 수 있는 상황에 있었다.

(in / a / was / situation / control / I / could / I / everything / where)

____

(3) 아무리 많이 먹어도 그는 절대 살이 찌지 않는다.

(he / fat / much / eats / gets / however / never / he)

____

[5~6] 밑줄 친 (A)와 (B)를 복합관계사를 이용하여 바꿔 쓰시오.

5

In life, it's important to take personal responsibility for (A) any choice that you make. If the result isn't what you wanted, don't blame others for your decision. Taking responsibility will help you learn from good and bad decisions. Therefore, (B) any decision that you make is a learning experience.

(A) ______________________________

(B) ______________________________

• **blame** 비난하다

6

(A) No matter how much you have accomplished, you need help. (B) No matter how loaded you are with problems, even without money or a place to sleep, you can give help.

(A) ______________________________

(B) ______________________________

• **loaded** 짐을 실은, (~으로) 가득 찬

내신 대비 문제

● 정답과 해설 p. 26

[1~2] 다음 중 어법상 틀린 것을 고르시오.

1

① There are many proverbs in which animals appear.
② Colors can affect the way that we live and think.
③ The reason why the sun looks that way is that it is on fire.
④ He moved to Phoetus, Virginia, where he worked at the Hotel Chamberlin.
⑤ This allows you to have whenever experiences you want.

2

① Whatever may happen, we must stick together.
② That is one reason why storytelling is such a persuasive medium.
③ We tend to form generalizations about the way how people behave.
④ There are some places where people believe that elves exist.
⑤ There were times when I wanted to give up but I didn't.

3 다음 우리말을 영작할 때 알맞은 것을 모두 고르면?

아무리 힘들어도 나는 항상 정의를 추구할 것이다.

① No matter which hard it is, I will always pursue righteousness.
② No matter how hard it is, I will always pursue righteousness.
③ Whenever hard it is, I will always pursue righteousness.
④ Wherever hard it is, I will always pursue righteousness
⑤ However hard it is, I will always pursue righteousness.

4 빈칸 (A), (B)에 들어갈 말끼리 짝 지어진 것은?

He suggested to his son that he could trade TV time, piano time, and study time for computer games and visits to the zoo. They established a point system, ___(A)___ he got points ___(B)___ he watched less TV.

① which – whatever ② where – whenever
③ which – whichever ④ where – whomever
⑤ which – whichever

5 빈칸에 공통으로 들어갈 말로 알맞은 것은?

Few people would choose to walk or bike on roadways that lack safe sidewalks or marked bicycle lanes, ________ vehicles speed by, or ________ the air is polluted.

① how ② when ③ where
④ whenever ⑤ wherever

6 다음 두 문장을 한 문장으로 바르게 바꿔 쓴 것은?

She followed her son to the window. She could see the rainbow from the window.

① She followed her son to the window which she could see the rainbow.
② She followed her son to the window what she could see the rainbow.
③ She followed her son to the window when she could see the rainbow.
④ She followed her son to the window where she could see the rainbow.
⑤ She followed her son to the window why she could see the rainbow.

중요

7 어법상 틀린 부분을 찾아 고쳐 쓴 것 중 바르지 않은 것은?

① Post the stickers whichever you need them, such as on your refrigerator or at work. (whichever → wherever)
② In 1973, he returned to his hometown, that he was awarded the Silver Star Medal. (that → where)
③ It is a hiking program what we guide participants along local trails. (what → where)
④ Mr. Wilson did an experiment which he gave students a choice of five different art posters. (which → of which)
⑤ Whenever the reason you're on Mars is, I'm glad you're there. (Whenever → Whatever)

고난도

8 어법상 맞는 문장을 모두 고르면?

ⓐ We must take what additional steps are necessary.
ⓑ The emotion itself is tied to the situation in which it occurs.
ⓒ This painting was challenging to the public in the way that it was made.
ⓓ We live in an unpredictable world for which things change in complex ways.
ⓔ This cycle is the fundamental reason why life has thrived on our planet for millions of year.
ⓕ Counselors often advise their clients to get some emotional distance from whenever is bothering them.

① ⓐ, ⓑ, ⓕ　② ⓐ, ⓒ, ⓓ　③ ⓑ, ⓒ, ⓔ
④ ⓑ, ⓔ, ⓕ　⑤ ⓓ, ⓔ, ⓕ

서술형 중요

9 주어진 단어를 배열하여 우리말을 영작하시오.

(1) 그는 미 해병대에 입대했고, 그곳에서 그는 한국 전쟁의 장면을 정확히 포착했다.
He joined the United States Marine Corps,
______________________________.
(he / scenes / the Korean War / from / where / captured)

(2) 당신이 거기서 배우는 무엇이든지 당신의 삶에 도움이 될 것이다.
____
will help your life.
(there / whatever / learn / you)

(3) 산이 아무리 높더라도 당신이 계속 걸으면 정상에 닿을 수 있다.
______________________________,
you can reach the summit if you keep walking.
(is / the mountain / however / high)

서술형 고난도

10 밑줄 친 우리말을 [조건]에 맞게 영작하시오.

George is the safety supervisor for an engineering company. One of his responsibilities is to see that employees wear their hard hats whenever they are on the job. He reported that <u>그가 안전모를 쓰고 있지 않은 작업자들을 만날 때마다</u>, he would tell them in a firm voice that they must follow the rules. As a result, the workers would do as he said, but right after he left, the workers would remove the hats.

조건
1. 주어진 표현을 활용하여 11단어로 쓸 것
come across, wear hard hat, worker, whenever
2. 필요 시 단어의 형태를 바꿔 쓸 것

____
____

GRAMMAR POINT

11 가정법

가정법 과거 · 과거완료

	의미	조건절	주절
과거	~라면 …할 텐데 (현재 사실의 반대)	If+주어+동사 과거형	주어+조동사 과거형+동사원형
과거완료	~했다면 …했을 텐데 (과거 사실의 반대)	If+주어+had p.p.	주어+조동사 과거형+have p.p.

❶ **가정법 과거:** 현재 사실에 반대되거나 실현 가능성이 거의 없는 일을 가정 · 상상

- **If it wasn't raining** today, **I could play** tennis. 〈현재 사실의 반대〉
  (It rains today, so I can't play tennis.)
- **If I were** a member of the Avengers, **I would be** able to beat up villains. 〈실현 가능성이 없는 현재〉
  (As I am not a member of the Avengers, I cannot beat up villains.)

cf. **If I were to be** born again, **I would be** a member of BTS. 〈실현 가능성이 없는 미래〉

❷ **가정법 과거완료:** 과거 사실에 반대되거나 하지 않았던 일을 가정 · 상상 · 소망

- **If it hadn't rained** yesterday, **I could have played** tennis.
  (It rained yesterday, so I couldn't play tennis.)

· 혼합가정법
- If+주어+had p.p., 주어+조동사 과거형+동사원형 (~했었다면, …할 텐데)
- If+주어+동사 과거형, 주어+조동사 과거형+have p.p. (~한다면, …했을 텐데)

I wish 가정법

- **과거:** I wish (that) + 주어 + 동사 과거형 (~하면 좋을 텐데: 주절과 같은 시점)
  I wish (that) **I knew** the answer. (I don't know the answer.)
- **과거완료:** I wish (that) + 주어 + had p.p. (~했었으면 좋았을 텐데: 주절보다 선행하는 시점)
  I wish (that) **she hadn't missed** the party yesterday. (She missed the party.)

as if(though) 가정법

- **과거:** as if(though) + 주어 + 동사 과거형 (마치 ~인 것처럼: 주절과 같은 시점)
  He talks **as if he were** my brother. (In fact, he is not my brother.)
- **과거완료:** as if(though) + 주어 + had p.p. (마치 ~였던 것처럼: 주절보다 선행하는 시점)
  She acted **as if she had visited** Paris. (In fact, she hadn't visited Paris.)

if절이 없는 가정법

❶ **if절 생략:** if 생략 시 주어와 동사(조동사) 도치

- **Were I** you(= If I were you), **I would start** it at once.

❷ **Without(But for) + 명사**

- **과거:** Without(But for) + 명사, 주어 + 조동사 과거형 + 동사원형 (~이 없다면)
  Without(But for) your help, **I couldn't solve** this problem.
- **과거완료:** Without(But for) + 명사, 주어 + 조동사 과거형 + have p.p. (~이 없었다면)
  Without(But for) his help, **he could not have won** the final.

❸ **if절 대용어구:** 분사구, 부정사구, 부사구

- **I would be** very glad **to speak Spanish**(if I could speak Spanish).
- **Left**(If he had been left) to himself, **he would have been ruined.**
- **Five years ago you could have bought** that watch for thirty dollars.

· Without(But for)
= If it were not for (과거)
= If it had not been for (과거완료)

☑ 출제 FOCUS

[어법] 가정법 과거/과거완료 선택
[서술형] 직설법 문장의 가정법 전환 / 가정법 구문의 다른 표현 전환 / 가정법 영작

: 어법 확인

● 정답과 해설 p. 28

개념 확인

A 밑줄 친 부분이 어법상 맞으면 ○표, 틀리면 ×표 하시오.

1 What would you do if you drop out of high school? [ ]

2 If it were not for the ozone layer, the earth will be barren with no life. [ ]

3 Without birds, the world would have been filled with harmful insects. [ ]

4 I wish I studied German instead of Japanese when I was in high school. [ ]

5 If I had done my homework yesterday, I wouldn't be being scolded now. [ ]

B 괄호 안에서 알맞은 것을 고르시오.

1 I wish I (read / had read) more books when I was younger.

2 If all of the Antarctic ice melted, sea levels around the world (would rise / would have risen) about 200 feet.

3 It is snowing as if flowers (were falling / are falling) from the sky.

4 If my computer hadn't broken down then, my report (would be / would have been) completed last night.

5 I wouldn't be so careless if I (am given / were given) one more chance.

오류 수정

C 다음이 우리말과 일치하도록 할 때, 어법상 틀린 부분을 찾아 바르게 고치시오.

1 우리에게 몸짓 언어가 없다면 서로 의사소통을 하는 것이 훨씬 더 어려울 텐데.

If we hadn't had(ⓐ) body language, it would be(ⓑ) much harder(ⓒ) to communicate(ⓓ) with each other.

( ) → ____________

2 감독님이 내 연기를 봤다면 그가 나를 주연으로 캐스팅했었을 것이라고 확신한다.

I am sure(ⓐ) that if(ⓑ) the director saw(ⓒ) my acting, he would have cast(ⓓ) me as the main character.

( ) → ____________

3 내가 피자를 시켰을 때마다 그들이 줬던 쿠폰을 모두 모았더라면 지금 무료 피자 한 판을 얻을 수 있을 텐데.

If I had saved up(ⓐ) all the coupons they gave(ⓑ) whenever I ordered(ⓒ) pizza, I could have got(ⓓ) a free pizza now.

( ) → ____________

: 서술형 연습

● 정답과 해설 p. 28

대표 유형 **문장 전환: 직설법 → 가정법**

기출 예제 밑줄 친 문장을 ❶가정법으로 바꿔 쓰고 우리말 뜻을 쓰시오.

Rangan opened his cycle shop early in the morning. ❷The day before, he could not attend to business as he had been laid up with a high fever. But today he made it up to the shop to earn money for his family. Shouting to the tea boy in the next shop for a strong cup of tea, he lined up all the bicycles to be repaired outside.

→ The day before, ❸he could have attended to business if he had not been laid up with a high fever.

→ 그가 고열로 몸져눕지 않았었다면 그 전날 그는 일하러 올 수 있었을 텐데.

풀이 방법
❶ **출제 포인트:** 직설법 문장의 가정법 전환
❷ **밑줄 친 직설법 문장의 시제와 의미 파악:** 과거에 아파서 일을 하지 못했음.
❸ **가정법으로 문장 전환:** 직설법 문장과 반대 상황을 가정하고 시제가 과거이므로 가정법 과거완료(주어+조동사 과거형+have p.p., if+주어+had p.p.)에 맞게 수정

대표 유형 연습

[1~2] 다음 문장을 가정법으로 바꿔 쓰고 우리말 뜻을 쓰시오.

1

I don't know how to play a musical instrument, so I can't participate in the music talent contest.

→ If ______________________.

→ ______________________

• musical instrument 악기

2

As they experienced their customers' discomfort, their business was able to achieve good results.

→ If ______________________
______________________.

→ ______________________

• discomfort 불편함

빈출 유형 연습

3 두 문장의 의미가 같도록 주어진 단어로 시작하는 문장을 쓰시오.

(1) But for the experiences of failure Claire had when she was young, she would be very arrogant now.

= If ______________________________
______________________________.

(2) Without smartphones, our lives would be less exciting.

= If ______________________________.

• arrogant 오만한

4 주어진 표현을 배열하여 밑줄 친 우리말을 영작하시오. (필요 시 어형 변화 가능)

The thunder rumbled again, sounding much louder. And then slowly, one by one, the raindrops came 마치 누군가가 지붕에 동전들을 떨어뜨리고 있는 것처럼. (drop / as if / on the roof / penny / someone)

____

• thunder 천둥
• rumble 우르르 소리 내다
• raindrop 빗방울
• penny (페니, 영국의 화폐 단위) 동전

[5~6] 다음 글을 읽고, 물음에 답하시오.

It is difficult ① to know how to determine ② whether one culture is better than another. What is the cultural ranking order of rock, jazz, and classical music? When it comes to public opinion polls about ③ whether cultural changes are for better or worse, ④ looking forward would lead to one answer and looking backward would lead to a very different one. (A) 우리 아이들은 그들이 그들 조부모의 문화로 돌아가야 한다고 들으면 겁이 날 것이다. And our parents ⑤ will be horrified if they were told they had to participate in the culture of their grandchildren.

• determine 결정하다
• when it comes to ~에 관해 말하면
• poll 여론 조사
• horrify 겁을 주다

5 밑줄 친 ①~⑤ 중 어법상 틀린 것을 찾아 바르게 고쳐 쓰시오.

(   ) → ______________________________

6 [보기]의 표현을 활용하여 밑줄 친 (A)의 우리말을 영작하시오. (필요 시 어형 변화 가능)

보기

horrify   grandparents' culture   tell   our children   if   go back to

→ ______________________________

내신 대비 문제

● 정답과 해설 p. 29

중요

1 다음 문장을 가정법으로 바꿔 쓸 때, 알맞지 않은 것은?

① I gave it to you because I didn't know that you had lied to me.
→ If I had known that you had lied to me, I wouldn't have given it to you.

② I can't hire him because he isn't capable enough.
→ If he were more capable, I would be able to hire him.

③ Thanks to your timely advice, I was able to finish the project.
→ If it were not for your timely advice, I wouldn't have been able to finish the project.

④ In fact, he isn't rich enough to buy a yacht but behaves as if he could buy it.
→ He behaves as if he were rich enough to buy a yacht.

⑤ I'm hungry now because I didn't eat breakfast.
→ If I had eaten breakfast, I wouldn't be hungry now.

[2~3] 밑줄 친 부분이 어법상 틀린 것을 모두 고르시오.

2

① If there were free meals everywhere, no one would starve.

② If the moon is bigger than the earth, what would happen?

③ If I had hurried then, I wouldn't have missed the last train.

④ If Mei picked the black pebble, her father's debt would have been forgiven.

⑤ If I had known you were coming, I would have gone to the airport to pick you up.

3

① I wish I had learned musical instruments when I was in elementary school.

② I wish I have more time for you, but I have an important meeting to attend.

③ Had it not been for my glasses, I couldn't read small letters.

④ Amy was older than James, but she looked as if she were just fourteen years old.

⑤ Without your call, I could have overslept this morning.

4 빈칸에 들어갈 말로 알맞은 것은?

> The old house on the hill looked as if nobody ________________ there for ages.

① live ② lived ③ has lived
④ had lived ⑤ had been lived

중요

5 밑줄 친 ①~⑤ 중 어법상 틀린 것은?

> Impressionist paintings are probably most popular; it is an easily understood art which does not ask the viewer ① to work hard to understand the imagery. Impressionism is 'comfortable' ② to look at, with its summer scenes and bright colours appealing to the eye. It is important to remember, however, that this new way of painting was challenging to its public not only in the way that it was made but also in ③ what was shown. They ④ had never seen such 'informal' paintings before. The edge of the canvas cut off the scene in an arbitrary way, as if it ⑤ has been snapped with a camera. The subject matter included modernization of the landscape; railways and factories.

6 네모 (A)~(C)에 들어갈 말끼리 짝 지어진 것은?

If we lived on a planet where nothing ever changed, there (A) [will / would] be little to do. There would be nothing to figure out and there would be no reason for science. And if we (B) [live / lived] in an unpredictable world, where things changed in random or very complex ways, we would not be able to figure things out. Again, there would be no such thing as science. But we live in an in-between universe, where things change, but according to rules. If I (C) [throw / had thrown] a stick up in the air, it always falls down. And so it becomes possible to figure things out.

	(A)	(B)	(C)
①	will	live	throw
②	will	lived	had thrown
③	would	live	throw
④	would	lived	throw
⑤	would	lived	had thrown

서술형

7 밑줄 친 ①~⑤ 중 어법상 틀린 것을 찾아 바르게 고치시오.

Suppose we wish to create a yellow by mixing red and green paints. If we mixed the paints together, we ① would have failed in getting the intended result, probably ② getting a reddish color instead. This is because the paints were mixed together so that their effects on light interfered with each other. But suppose the red ③ were painted as many small dots of paint. From a distance, it ④ would look like a solid red. Similarly, the green could be painted as many small dots on the same paper, never ⑤ overlapping the red dots. From a distance, the eye would receive a mixture of red and green light.

(　　　　) → ____________

서술형 고난도

[8~9] 다음 글을 읽고, 물음에 답하시오.

Andrew Carnegie, the great early-twentieth-century businessman, once heard his sister ① complain about her two sons. They ② were away at college and rarely responded to her letters. Carnegie said to her "If I ③ wrote to them, I could have gotten immediate responses." He sent off two warm letters to the boys, and told them that he was happy to send each of them a check for a hundred dollars. Then he ④ mailed the letters, but didn't enclose the checks. Within days he ⑤ received warm grateful letters from both boys, who noted at the letters' end that he had unfortunately forgotten to include the check. (A) 그 수표가 동봉되어 있었다면, 그들이 그렇게 빨리 답장을 보냈을까?

8 밑줄 친 ①~⑤ 중 어법상 틀린 것을 찾아 바르게 고치시오.

(　　　　) → ____________

9 [조건]을 이용하여 밑줄 친 (A)를 영작하시오.

조건
1. 주어진 표현을 활용하여 12단어로 쓸 것
   would, enclose, so quickly, they, have, respond, the check, be
2. if를 사용한 가정법 문장으로 쓸 것
3. 필요 시 어형을 바꾸거나 표현을 중복 사용할 것

____

____

GRAMMAR POINT

12 5형식 / 가주어 · 가목적어 it

5형식

• 형태: 주어+동사+목적어+목적격 보어

• 지각동사의 목적격 보어
- 동사원형 (목적어와 목적격 보어가 능동 관계)
- 현재분사 (진행 중 / 동작)
- 과거분사 (목적어와 목적격 보어가 수동 관계)

• 사역 동사의 목적격 보어
- 동사원형 (목적어와 목적격 보어가 능동 관계)
- 과거분사 (목적어와 목적격 보어가 수동 관계)

동사	목적격 보어	동사	목적격 보어
make, get, turn, find, keep, leave ...	형용사	call, name, elect, make ...	명사
ask, allow, expect, tell, want ...	to부정사	hear, see, feel ...〈지각동사〉	동사원형 / 현재분사 / 과거분사
have, let, make〈사역동사〉	동사원형 / 과거분사	help〈준사역동사〉	동사원형 / to부정사

• You should keep the room **clean**. 〈형용사〉
• They elected him **president**. 〈명사〉
• He doesn't allow us **to enter** the classroom. 〈to부정사〉
• I saw some women **harvest(harvesting)** crops. 〈동사원형 / 현재분사〉
• He heard his name **called**. 〈과거분사〉
• I had him **repair** my car. 〈동사원형〉
• I had my car **repaired**. 〈과거분사〉
• He helped me **(to) clean** the house. 〈동사원형 / to부정사〉

가주어 it

❶ **가주어 it:** 긴 주어를 대신하여 쓰이는 형식상 주어

• **It** is difficult for him **to move** around.
가주어 / 의미상 주어 / 진주어 – to부정사구

• **It** is important **that** we save water at home.
가주어 / 진주어 – that절

❷ **It seems(happens) that+주어+동사:** ~인 것 같다 (우연히 ~하다)
(= 주어+seem(s)+to부정사 ~)

• **It** seems **that** this bed **is** comfortable to sleep in.
→ This bed seems **to be** comfortable to sleep in.

• **It** seemed **that** my dog **understood** English.
→ My dog seemed **to understand** English.

cf. that절의 시제가 주절보다 한 시제 앞서는 경우 완료부정사 「to have+p.p.」로 표현

• It seems that the Romans **built** this castle.
→ The Romans seem **to have built** this castle.

가목적어 it

• 가목적어 it을 자주 쓰는 동사: find, think, make, consider, believe ...

가목적어 it: 긴 목적어를 대신하여 쓰이는 형식상 목적어 (5형식에서 쓰임)

• I found **it** interesting **to talk** with him.
가목적어 / 목적격 보어 / 진목적어 – to부정사구

☑ 출제 FOCUS

[어법] 동사에 따른 목적격 보어 선택

[서술형] 5형식 · 가주어 it · 가목적어 it을 활용한 문장의 단어 배열

: 어법 확인

● 정답과 해설 p. 30

개념 확인

A 밑줄 친 부분이 어법상 맞으면 ○표, 틀리면 ×표 하시오.

1 We expected the package to arrive earlier. [ ]

2 Her warm welcome made us to feel comfortable. [ ]

3 I felt someone touched my hair. [ ]

4 Jason had the roof repaired yesterday. [ ]

5 Sam found it not so easy to make friends at the new school. [ ]

B 괄호 안에서 알맞은 것을 모두 고르시오.

1 You should not keep the chocolate (warm / warmly) otherwise it will melt.

2 She was seen (cross / to cross / crossing) the street.

3 I saw something (move / to move / moving) slowly along the walls.

4 Is it hard (for you / of you) to adapt to high school life?

5 Laziness makes it nearly impossible (to stick / for sticking / sticked) to the goal.

단어 배열

C 주어진 표현을 배열하여 빈칸에 알맞은 말을 쓰시오.

1 ______________________ not to make too much noise in the restaurant.
(asks / guests / it / the manager / that / seems)

2 The teacher had ______________________ in the book.
(memorize / the words / all / the students)

3 He ______________________ the number of times the basketball team passed the ball.
(to / asked / count / volunteers / a group of)

4 He ______________________ the broken window.
(was / for / pay / made / to)

5 I made ______________________ in the morning.
(a rule / to / it / wake up / 7:00 o'clock / at)

: 서술형 연습

● 정답과 해설 p. 31

대표 유형 **단어 배열**

기출 예제 **주어진 표현을 배열하여 빈칸에 알맞은 말을 쓰시오. (필요 시 어형 변화 가능)**

Your future is not your past and you have a better future. You must decide to forget and let go of your past. Your past experiences are the thief of today's dreams only when ❷you allow them to control you. (them / you / control / you / ❶allow)

풀이 방법 ❶ **출제 포인트:** 5형식 동사와 문장의 어순

❷ **「주어(you) + 5형식 동사(allow) + 목적어(them) + 목적격 보어(to부정사)」:** control → to control

대표 유형 연습

[1~3] 주어진 표현을 배열하여 빈칸에 알맞은 말을 쓰시오. (필요 시 어형 변화 가능)

1

Faced with the choice of walking down an empty or a lively street, most people would choose the street with life and activity. Events where we ______________________ attract many people to stay.
(people / can / perform / watch)

→ ______________________

2

It ______________________ between male and female chuckwallas, a kind of lizard. This is because young males look like females and the largest females resemble males.
(easy / distinguish / not / is)

→ ______________________

• **lizard** 도마뱀
• **resemble** 닮다

3

We find that the beautiful walking paths through the park are all but impassable to her. The paths are cracked and littered with rocks. ______________________ her chair from place to place.
(the rocks / it / make / roll / me / impossible / for)

→ ______________________

• **impassable** 지나갈 수 없는
• **crack** 금 가다
• **litter** 어지르다

빈출 유형 연습

4 다음 문장을 주어진 단어로 시작하여 다시 쓰시오.

(1) Her heart seemed to skip a beat.

= It ______________________________.

(2) It seemed that time passed faster for the older group.

= Time ______________________________.

[5~6] 다음 글을 읽고, 물음에 답하시오.

(A) The manager made the apes help the experimenters. However, most apes in the study (B) 첫 번째 실험자가 두 번째 상자를 열도록 돕지 않았다 if the first experimenter was still in the room to (C) 두 번째 실험자가 물건을 옮기는 것을 보다.

- ape 유인원
- experimenter 실험자

5 밑줄 친 (A)를 수동태 문장으로 바꿔 쓰시오.

→ ______________________________

6 밑줄 친 (B), (C)의 우리말과 일치하도록 [보기]에 주어진 단어를 활용하여 문장을 완성하시오. (필요 시 어형 변화 가능)

보기
(B) help, open, the first experimenter, the second box
(C) see, move, the second experimenter, the item

→ (B) ______________________________

(C) ______________________________

[7~8] 다음 글을 읽고, 물음에 답하시오.

Consumers do not usually pay attention to ① what's new and different ② unless it's related to the old. That's why if you have a truly new product, it's often better ③ to say what the product is not, rather than what it is. For example, (A) the first automobile was called a "horseless" carriage by its company, a name which allowed the public ④ understanding the concept against the ⑤ existing mode of transportation.

- pay attention to ~에 주의를 기울이다
- carriage 마차
- existing 존재하는
- transportation 운송 수단

7 밑줄 친 ①~⑤ 중 어법상 틀린 부분을 골라 바르게 고치시오.

(   ) → ______________________________

8 다음이 밑줄 친 (A)와 의미가 같도록 바꿔 쓸 때 빈칸에 알맞은 말을 쓰시오.

→ Its company ______________________________.

내신 대비 문제

● 정답과 해설 p. 32

1 다음 중 어법상 틀린 것은?

① It is important to know what to do today.
② They found difficult to learn English.
③ She thought it unfair of him to take her idea.
④ Tom made it a rule to study English every evening.
⑤ In those days it was important for people to watch the TV news after they got home from work.

2 어법상 틀린 부분을 찾아 고쳐 쓸 때, 바르지 않은 것은?

① He was made do the dishes.
(do → to do)
② They saw him to cross the street.
(to cross → cross)
③ Sue is going to get the roof repair.
(repair → to repair)
④ The rain caused the lake overflow.
(overflow → to overflow)
⑤ They forced me do the assignment.
(do → to do)

중요

3 밑줄 친 문장과 의미가 같도록 바꿔 쓸 때, 알맞은 것은?

> She seemed to be listening intently. When Angela was done, she nodded and then smiled.

① It seemed that she listening intently.
② It seemed that she be listening intently.
③ It seemed that she was listening intently.
④ It seemed that she had been listening intently.
⑤ It seemed that she would be listening intently.

4 밑줄 친 부분 중 문장에서의 역할이 다른 것은?

① He found it difficult to read the subtitles of the movie.
② It brings me great satisfaction to be a member of this center.
③ It has been reported that young people saved 40% of their income.
④ Remember that it is important to recognize your pet's particular needs.
⑤ It is unimaginable that someone would give bad comments about his work.

5 어법상 틀린 부분을 고쳐 쓴 것 중 바르지 않은 것은?

> ① Since the 10-minute exposure, the camera slowly flooded with seawater, but the picture survived. Underwater photography was born. Near the surface, ② which the water is clear and there ③ are enough light, it is quite possible ④ an amateur photographer ⑤ take great shots with an inexpensive underwater camera.

① → During
② → where
③ → is
④ → for an amateur
⑤ → taking

6 ①~⑤ 중 어법상 틀린 것은?

> ① In the picture, there is a couple who just got married. ② It appears that the groom is tall, like a giant. ③ He seems to be lifting the bride with one hand. ④ Nowadays, photo editing programs make it easy to create these types of picture, but there is a much more low-tech method for this: the forced perspective technique. ⑤ By placing the groom close to the camera, he may be made look as tall as a giant to the viewer.

7 어법상 알맞은 문장을 모두 고르면?

ⓐ We are asking you donating warm clothes, blankets, and money.
ⓑ I saw a hand reach out from between the doors.
ⓒ The differing size of each ear helps the owl distinguish between sounds.
ⓓ Technology makes much easier to worsen a situation with a quick response.
ⓔ The teacher told the students to be ready for the test.
ⓕ This leaves kids felt helpless when they make mistakes.

① ⓐ, ⓑ, ⓕ ② ⓐ, ⓒ, ⓓ ③ ⓑ, ⓒ, ⓔ
④ ⓑ, ⓔ, ⓕ ⑤ ⓒ, ⓔ, ⓕ

서술형 중요

8 밑줄 친 부분이 어법상 맞으면 ○표, 틀리면 ×표 하고 바르게 고치시오.

(1) You've seen those organized items over and over again, and the arrangement by category makes it easy for you that memorize the store's layout.

( ) → ______________________

(2) In order for the mechanism of peer review to work, it is important what scientists do not avoid this process.

( ) → ______________________

(3) Two little kids were seeing to be playing in the mud.

( ) → ______________________

(4) It is almost impossible of a creature live without oxygen.

( ) → ______________________

서술형 중요

9 다음 문장이 우리말과 일치하도록 [보기]의 표현을 활용하여 빈칸에 알맞은 말을 쓰시오.

His artwork ______________________ and reminds you there are alternative ways of using shapes, objects, and colors.
(그의 예술 작품은 여러분이 세상을 다르게 보도록 돕고 여러분에게 형체, 사물, 그리고 색을 사용하는 대안이 되는 방식들이 있다는 것을 상기시킨다.)

보기

see differently the world

서술형

[10~11] 다음 글을 읽고, 물음에 답하시오.

I saw ______(A)______. I asked the driver, "Where did you drop the last person off?" and showed him the phone. He pointed at a girl walking up the street. We drove up to her and I rolled down the window yelling out to her. She was very thankful and by the look on her face I could tell how grateful she was. Her smile made me ______(B)______ really good inside.

10 [보기]의 표현을 배열하여 빈칸 (A)에 알맞은 말을 쓰시오.

보기

next to cell phone right
sitting a brand new me

→ ______________________

11 빈칸 (B)에 동사 feel의 알맞은 형태를 쓰시오.

→ ______________________

GRAMMAR POINT

13 도치 · 강조 · 생략

도치

강조할 문장 성분을 문두에 오게 할 때 「강조어구+동사+주어」 또는 「강조어구+조동사+주어+본동사」로 어순이 바뀌는 것

❶ **부사(구) 도치:** 부사(구)+동사+명사 주어 / 부사(구)+대명사 주어+동사

- **Down** came the snow and made the road icy. 〈방향〉
- **At the bus stop** he stood waiting for his daughter. 〈장소〉

❷ **부정어 도치:** 부정 부사+조동사+주어+동사원형

- **Little** did I imagine that he would fail.
- **Not until** I talked to him did I know he was homesick. 〈…이 되어서야 ~하다〉
- **Not only** does he draw illustrations **but** he writes novels, too. 〈~뿐만 아니라 …도〉
- **No sooner** had I called her **than** she appeared in front of me. 〈~하자마자〉
- **Hardly** had he arrived **when** it began to snow. 〈~하자마자〉
- **Scarcely** had she graduated **when** she got married. 〈~하자마자〉
- **Only** on Monday are all the tickets for the musical sold out.
- **Only** when he told me her name did I learn it.

· only+부사구/부사절 도치 구문: 부사구나 부사절이 아닌 주절에서 주어, 동사가 도치

강조

❶ **It ~ that 강조구문:** It is(was)와 that 사이에 강조할 말을 두어 강조

- Jim caught a fish in the pond yesterday.
  - → It was Jim **that(who)** caught a fish in the pond yesterday. 〈주어 강조〉
  - → It was a fish **that** Jim caught in the pond yesterday. 〈목적어 강조〉
  - → It was in the pond **that** Jim caught a fish yesterday. 〈장소 부사구 강조〉
  - → It was yesterday **that** Jim caught a fish in the pond. 〈시간 부사 강조〉

cf. 강조어구가 사람인 경우, that 대신 관계대명사 who로 바꿔 쓸 수 있음.

❷ **재귀대명사 강조용법:** (대)명사+oneself (생략 가능)

- You should do it **yourself**. = You, **not anyone else**, should do it.

cf. 재귀대명사 재귀용법: 동작의 행위가 본인(주어)에게 행해지는 것 (생략 불가능)
I fell down the stairs and hurt **myself**.

❸ **기타 강조 표현**

- 조동사 do를 사용한 동사 강조: She **did** love her grandmother.
- 부정문 강조: The movie did not impress him **at all**.
- 의문문 강조: What **on earth** do you think you're doing?

생략

❶ **반복을 피하기 위한 생략**

- John **ate** a hamburger, and Mary **(ate)** French fries. 〈동사 생략〉
- The girls were **brave**, but the boys were not **(brave)**. 〈보어 생략〉
- You may **sit** wherever you want to **(sit)**. 〈대부정사〉

❷ **부사절의 「주어+be동사」 생략:** 부사절과 주절의 주어가 같고 부사절의 동사가 be동사일 때

- He broke his left leg while **(he was)** skiing in Canada.
- Please let us know if **(you are)** unable to attend the meeting.

출제 FOCUS

[어법] 도치 구문의 주어 · 동사 어순 파악 / it ~ that 강조구문과 가주어 it, 진주어 that 구문 구별
[서술형] 도치 구문 완성 / it ~ that 강조구문 영작

: 어법 확인

● 정답과 해설 p. 33

개념 확인

A 괄호 안에서 알맞은 것을 고르시오.

1 In the crowd (was the man sitting / was sitting the man).

2 Little (I expected / did I expect) that I would meet the movie star.

3 (It / That) was my sister that spread the rumor.

4 I repaired the bicycle (myself / mine).

5 When (season / seasoning), make sure you use some pepper.

B [보기] 문장을 괄호 안의 지시에 맞게 바꿔 쓰시오.

보기

I gave her a birthday gift in the restaurant last night.

1 It ____________ that ____________________. (주어 강조)

2 It ____________ that ____________________. (간접 목적어 강조)

3 It ____________ that ____________________. (직접 목적어 강조)

4 It ____________ that ____________________. (장소 부사구 강조)

5 It ____________ that ____________________. (시간 부사구 강조)

문장 전환

C 두 문장이 같은 의미가 되도록 빈칸에 알맞은 말을 쓰시오.

1 Mary, not anyone else, fixed the car.
= Mary fixed the car ____________________.

2 I hardly heard Eugene say bad words to his friends.
= ____________________ Eugene say bad words to his friends.

3 An elderly lady and a girl were behind my mom.
= Behind ____________________.

4 Ancient people must have felt scared when encountering mammoths.
= Ancient people must have felt scared when ____________________.

: 서술형 연습

● 정답과 해설 p. 33

대표 유형 문장 전환: 도치 구문

기출 예제 밑줄 친 부분을 ❶주어진 단어로 시작하여 다시 쓰시오.

Even if social scientists discover the procedures that could reasonably be followed to achieve social improvement, ❷they are seldom in a position to control social action. For that matter, even dictators find that there are limits to their power to change society.

→ ❷Seldom ❸are they in a position to control social action.

풀이 방법 ❶ 조건: 주어진 문장 전환
❷ 출제 포인트: 도치 구문에서 주어와 동사의 어순 변화
❸ 도치 구문 완성: 부정어 Seldom을 문두에 두어 강조하면서 be동사(are), 주어(they) 어순으로 도치

대표 유형 연습

[1~2] 밑줄 친 부분을 주어진 단어로 시작하여 다시 쓰시오.

1 Today my teacher announced that the class president election is coming up. I didn't consider being class president before. However, this year I started thinking about it because I want to do something to help me overcome my shyness.

→ Never ________________.

- election 선거
- overcome 극복하다

2 Newton found something new only when he placed a second prism in the path of the spectrum. The composite colors produced a white beam. Thus he concluded that white light can be produced by combining the spectral colors.

→ Only ________________

________________.

- composite 합성의
- spectral 스펙트럼의

빈출 유형 연습

3 두 문장의 의미가 같도록 빈칸에 알맞은 말을 쓰시오.

> Serene's mother said that she, not anyone else, had tried many times before succeeding at Serene's age.

= Serene's mother said that she ______________ had tried many times before succeeding at Serene's age.

- **succeed** 성공하다
- **at one's age** ~의 나이 대에

4 밑줄 친 부분을 강조하여 문장을 다시 쓰시오.

(1) In love, trust is most important.

→ ____

(2) In the last match, Amy scored the winning goal.

→ ____

(3) When buying products, you should look for the price.

→ ____

5 밑줄 친 우리말을 주어진 표현을 배열하여 영작하시오.

> Those people providing you goods and services are not acting out of generosity. 몇몇 정부 기관이 여러분의 욕구를 충족시키도록 그들을 지도하고 있는 것도 아니다. Instead, people provide you and other consumers with the goods and services they produce because they get something in return.

Nor ____.

(to satisfy / directing / them / your desires / is / some government agency)

- **generosity** 관대함
- **in return** 보답으로

6 밑줄 친 (A)와 (B)에 생략된 것을 추가하여 다시 쓰시오.

> Many people think of what might happen in the future based on past failures (A) and get trapped by them. For example, if you have failed in a certain area before, (B) when faced with the same situation, you anticipate what might happen in the future, and thus fear traps you in yesterday.

(A) ______________________________

(B) ______________________________

- **trap** 가두다
- **face** 직면하다

내신 대비 문제

● 정답과 해설 p. 34

1 빈칸에 들어갈 말로 알맞은 것은?

> ______________________, but also she had a fame.

① Not only Queen Elizabeth I loving her people
② Not only did Queen Elizabeth I loved her people
③ Not only did Queen Elizabeth I love her people
④ Not only has Queen Elizabeth I loved her people
⑤ Not only was Queen Elizabeth I loved her people

중요
[2~3] 다음 중 어법상 틀린 것을 고르시오.

2

① I myself have never been there.
② It was I who lost the bag yesterday.
③ Here are a few things they need to discuss.
④ No sooner had she seen him than she ran way.
⑤ Hardly did he have seen me when he called the police.

3

① What on earth do you want me to do for you?
② It was I who spent a lot of effort passing the exam.
③ It was yesterday that I bought some materials for the project.
④ Not until they start to study monkeys did they discover many secrets of human.
⑤ She couldn't hide her feelings at all.

고난도
4 어법상 맞는 문장을 모두 고르면?

> ⓐ Little I expected to meet him again.
> ⓑ Never again did I wanted to go back.
> ⓒ When walking on the street, Eddie met his teacher.
> ⓓ Only in Paris do you find bakeries like this.
> ⓔ That is they who love us that scold us severely.

① ⓐ, ⓑ ② ⓐ, ⓒ ③ ⓑ, ⓓ
④ ⓑ, ⓔ ⑤ ⓒ, ⓓ

중요
5 빈칸 (A)와 (B)에 들어갈 말끼리 짝 지어진 것은?

> Once in a village ____(A)____. He was very unkind and cruel to his servants. One day one of the servants made a mistake ____(B)____ food. When the rich man saw the food, he became angry and punished the servant.

	(A)		(B)
①	lived a rich man	–	while cook
②	lived a rich man	–	while cooked
③	lived a rich man	–	while cooking
④	did a rich man live	–	while cooked
⑤	did a rich man live	–	while cooking

6 밑줄 친 ①~⑤ 중 어법상 틀린 것은?

> Some suggest ① that the slippers ② represent Dorothy's own potential power. She has them, but she just ③ doesn't know how to use them. Only after all of her adventures ④ she could tap into the power of the slippers and use them to get ⑤ what she wants.

7 밑줄 친 부분을 생략할 수 없는 것을 모두 고르면?

① I myself wrote this article.
② He praised himself to feel better.
③ You can eat whatever you want to eat.
④ I played the flute and Inho played the violin.
⑤ Exercise when you are healthy, or you will regret when you are sick.

서술형

8 빈칸 (A)와 (B)에 알맞은 단어를 쓰시오.

Most of us put even more attention and focus on the fruits, our results. But what is it ___(A)___ actually creates those particular fruits? It's the seeds and the roots ___(B)___ create them.

(A) ________________ (B) ________________

서술형 중요

9 밑줄 친 부분을 어법상 바르게 고쳐 쓰시오.

(1) Never before these subjects had been considered appropriate for artists.

→ ________________

(2) He realized that he was fooled, so locked up his shop and cursed him for getting tricked by an old man.

→ ________________

(3) When are not clearly aware of the situation, you may not make the right decisions.

→ ________________

서술형 고난도

10 밑줄 친 (A), (B)를 어법상 바르게 고쳐 쓰시오.

One day after grocery shopping, I was sitting at the bus stop. When the bus arrived, I just hopped on. Not until I got home and reached for the house key (A) I realize that I had left my purse on the bench at the bus stop. My heart started to beat faster because all my cash for the month was in my purse. "How can I get by without it?" I said to (B) me.

(A) ________________ (B) ________________

서술형 고난도

11 다음 글을 읽고, 밑줄 친 우리말을 [조건]에 맞게 영작하시오.

Parents may often claim that they spend a lot of time with their children. Actually, what they mean is not with but in proximity of their children. That is, they may be in the same room as their child but watching TV, reading, on the phone, reviewing emails, or conversing with other guests. What is needed is active engagement with children. This implies reading together, playing sports and games together, solving puzzles together, cooking and eating together, discussing things together, and washing dishes together. In other words, it is not simply being in a child's company 동시에 아이를 홀로 남겨두면서 but it means being an active participant and partner in activities with the child.

조건
1. 주어진 단어를 활용하여 6단어로 쓸 것
leave, simultaneously, while, the child, alone
2. 필요 시 어형을 바꿔 쓸 것

____

GRAMMAR POINT

14 비교

원급 비교

- **동등 비교** (~만큼 …한): This bird is **as fast as** that drone.
- **열등 비교** (~만큼 …하지 않은): That movie is **not as(so) long as** the other one.
- **배수사+as+원급+as** (~만큼 몇 배 …한): My house is **three times as big as** yours.
- **as+원급+as+주어+can** (가능한 한 ~하게): He ran **as fast as** he could.
  = He ran **as fast as** possible.

비교급 비교

- 비교급 강조 부사: much, even, still, far, yet, a lot (훨씬)

- **우등 비교** (~보다 더 …한): James is **taller than** Janet.
  Playing soccer is **more exciting than** watching it.
- **열등 비교** (~보다 덜 …한): Janet is **less tall than** James.
- **배수사+비교급+than** (~보다 몇 배 더 …한)
  Bamboo grows **twenty times faster than** other kinds of plant.
- **the+비교급, the+비교급** (~하면 할수록 더 …한)
  The more you ask questions and listen to the answers, **the smarter** you appear.

cf. 주절과 공통되는 부분은 생략하거나 대명사/대동사로 표현
- He speaks French better than (**he speaks**) English.
- The population of Korea is smaller than **that** of China.
- My mom drives better than my dad **does**(= drives).

최상급 비교

- the+형용사 / 부사 최상급 (가장 …한)
- 최상급 of / 최상급 in: of 뒤에는 복수 보통명사, in 뒤에는 단수 명사를 씀.
- one of the+최상급+복수 명사 (가장 ~한 것들 중 하나)
- 최상급 강조 부사: much, by far, the very (단연코, 가장)

- Tom is **the fastest** runner among them. / Tom runs **fastest** among them.
- Sean is **the most diligent of** all the employees. 〈the + 최상급 + of + 복수 명사〉
- She is known as **one of the most beautiful women** in history.
- Among the students in the class, Tom was by far **the fastest**. 〈최상급 강조〉
- **최상급의 의미를 나타내는 원급 · 비교급 표현**
  She is **the greatest** Korean writer. 〈최상급〉
  = She is **greater than any other** Korean writer.
  〈A + 동사 + 비교급 + than any other B(단수 명사): A는 다른 어떤 B보다 더 ~하다〉
  = She is **greater than all the other** Korean writers.
  〈A + 동사 + 비교급 + than all the other B(복수 명사): A는 모든 다른 B보다 더 ~하다〉
  = **No (other)** Korean writer is **greater than** she is.
  〈No (other) B + 동사 + 비교급 + than A: (다른) 어떤 B도 A보다 더 ~하지 않다〉
  = **No (other)** Korean writer is **as great as** she is.
  〈No (other) B + 동사 + as(so) + 원급 + as A: (다른) 어떤 B도 A만큼 ~하지 않다〉

☑ 출제 FOCUS

[어법] 비교 표현의 대명사 · 대동사 파악 / 비교급 강조 부사 파악

[서술형] 원급 · 비교급을 이용한 최상급 표현 전환 / 「the 비교급, the 비교급」 구문 배열

: 어법 확인

● 정답과 해설 p. 35

개념 확인

A 밑줄 친 부분이 어법상 맞으면 ○표, 틀리면 ×표 하시오.

1 William got very better by practicing it everyday. [ ]

2 She arrived at the airport much earlier than she expected. [ ]

3 Millions of years ago, human faces weren't as flatter as they are today. [ ]

4 Some scientists report that nothing is very harmful for us as stress. [ ]

5 My friends said air travel is far safer than highway travel does. [ ]

B 괄호 안에서 알맞은 것을 고르시오.

1 One of the (more difficult / most difficult) things is to challenge your own beliefs.

2 Making a movie is as (interesting / interestingly) as watching it.

3 The fire at the center of the sun is 250,000 times (hot / hotter) than the hottest summer day.

4 Experience increases satisfaction far more than acquisitions (are / do).

5 The (high / higher) I climbed up the hill, the stronger the wind became.

오류 수정

C 어법상 틀린 부분을 골라 바르게 고치시오.

1 An image has(ⓐ) a very(ⓑ) greater(ⓒ) impact on your brain than words(ⓓ).

( ) → ______________

2 The percentage of e-reader users(ⓐ) was(ⓑ) three times as high(ⓒ) as those(ⓓ) of computer users.

( ) → ______________

3 I think(ⓐ) Tim is less(ⓑ) creativer(ⓒ) than(ⓓ) Steve.

( ) → ______________

4 No other man(ⓐ) was better(ⓑ) indifferent to fame and uncomfortable(ⓒ) about publicity than he was(ⓓ).

( ) → ______________

: 서술형 연습

● 정답과 해설 p. 36

대표 유형 **문장 전환: 원급 · 비교급을 이용한 최상급 표현**

기출 예제 다음이 밑줄 친 문장과 ❶ 같은 의미가 되도록 주어진 표현으로 시작하여 다시 쓰시오.

> The graph shows rice exports by four major exporters in 2012 and 2013. ❷ No other country exported more rice than India in 2012. In both years, Pakistan exported the smallest amount of rice of the four countries.

(1) ❸ No other country exported as much rice as ______ India in 2012.

(2) ❸ India exported more rice than any other ______ country in 2012.

(3) ❸ India exported more rice than all the other ______ countries in 2012.

풀이 방법
❶ **조건:** 문장 전환
❷ **출제 포인트:** 최상급 의미를 나타내는 원급 · 비교급 표현
❸ **최상급의 의미를 나타내는 원급 · 비교급 표현으로 전환:** 「No other B + 동사 + as + 원급 + as A」 = 「A + 동사 + 비교급 + than any other B(단수 명사)」 = 「A + 동사 + 비교급 + than all the other B(복수 명사)」

대표 유형 연습

1 밑줄 친 부분과 같은 의미가 되도록 빈칸에 알맞은 말을 쓰시오.

> When I was young, I was too diligent. One day, my teacher came to me and said, "Remember, nothing is as important as practice, but you also need a break."

(1) ______ practice,

(2) ______ any other thing,

• **diligent** 성실한

2 밑줄 친 부분과 같은 의미가 되도록 각 빈칸에 알맞은 단어를 쓰시오.

> Merchandisers often use the back wall as a magnet, because it means that people have to walk through the whole store. This is a good thing because distance traveled relates more directly to sales than any other measurable consumer variable.

(1) distance traveled relates ______ directly to sales ______ ______ ______ ______ measurable consumer variables.

(2) no other ______ ______ ______ relates ______ directly to sales than ______ ______.

• **merchandiser** 상인
• **magnet** 자석[사람을 끄는 것]
• **measurable** 측정 가능한
• **variable** 변수

빈출 유형 연습

3 밑줄 친 단어를 어법상 바르게 바꿔 쓰시오.

(1) Some say getting a few extra minutes of sleep is important than eating a bowl of oatmeal. → ____________

(2) The boy started to understand that holding his temper was easier than drive nails into the fence. → ____________

(3) Acoustic concerns in school libraries are much more important and complex today than they be in the past. → ____________

• **a bowl of** 한 그릇의
• **temper** 성질, 기분
• **drive a nail** 못을 박다
• **fence** 울타리
• **acoustic** 음향의, 청각의

4 밑줄 친 부분에서 어법상 틀린 곳을 찾아 바르게 고치시오.

(1) The Internet revolution has not been as importantly as the washing machine and other household appliances.

____________ → ____________

(2) Other groups of humans with lifestyles and diets more similar to our ancient human ancestors have more varied bacteria in their gut than Americans are.

____________ → ____________

• **revolution** 혁명
• **household** 가정
• **appliance** (가정용) 기기
• **gut** 대장

5 우리말과 일치하도록 빈칸에 알맞은 말을 쓰시오.

(1) My dad is ____________ as me.
우리 아빠는 나보다 2배 더 무겁다.

(2) The man bought ____________ as ____________.
그 남자는 그가 살 수 있는 한 많은 사과를 샀다.

(3) This is ____________ in Korea.
이것은 한국에서 가장 큰 호수 중 하나이다.

6 주어진 표현을 배열하여 빈칸에 알맞은 말을 쓰시오.

> People have higher expectations as their lives get better. However, the higher the expectations are, ____________. We can increase the satisfaction we feel in our lives by controlling our expectations. (difficult / the / more / to be satisfied / is / it)

→ ____________

• **expectation** 기대
• **satisfaction** 만족
• **satisfy** 만족시키다

내신 대비 문제

● 정답과 해설 p. 37

[1~2] 빈칸에 들어갈 말로 알맞은 것을 고르시오.

1

> __________ you can do to get support is to support somebody else first.

① The best things
② One of the better thing
③ One of the better things
④ One of the best thing
⑤ One of the best things

2

> Aiden's painting was __________ because Aiden didn't know about trends.

① less popular as Vicky
② as popular as Vicky are
③ less popular than Vicky
④ less popular than Vicky's
⑤ less popular than Vicky are

중요

3 어법상 틀린 부분을 고쳐 쓴 것 중 바르지 않은 것은?

① The life expectancy of women is higher than those of men. (those → that)
② Mount Vesuvius is regarded as one of the more dangerous volcanoes of all. (more → most)
③ Martin thought life would be very better if he were able to move to another city. (very → even)
④ He turned and disappeared as quick as he had come. (quick → quickly)
⑤ Lies with good intentions can hurt people much more as telling the truth. (much → even)

중요 고난도

4 다음 문장을 같은 의미가 되도록 바꿔 쓸 때 알맞은 것을 모두 고르면?

> The golden poison frog is considered the most poisonous animal on earth.

① No other animal on earth is considered more poisonous than the golden poison frog.
② No other animal on earth is considered less poisonous than the golden poison frog.
③ No other animal on earth is considered more poisonous as the golden poison frog.
④ The golden poison frog is considered more poisonous than all the other animals on earth.
⑤ The golden poison frog is considered more poisonous than any other animal on earth.

5 두 문장의 의미가 서로 다른 것은?

① Parents' love for their children is the strongest.
= Nothing is as strong as parents' love for their children.
② Reading is the cheapest entertainment.
= No reading is cheaper than entertainment.
③ No other form of communication in the world is as powerful as music.
= No other form of communication in the world is more powerful than music.
④ Hold your breath as long as you can.
= Hold your breath as long as possible.
⑤ The government spent three times as much money on national defense as it did last year.
= The government spent three times more money on national defense than it did last year.

⊙고난도

6 어법상 맞는 문장을 모두 고르면?

ⓐ Overweight patients with normal-weight partners lost significantly more weight than that with overweight partners.
ⓑ Gasoline is twice as expensive as it was a few years ago.
ⓒ The more prone to anxiety a person is, the poorer his or her academic performance is.
ⓓ The nerves from the eye to the brain are 25 times more largely than those from the ear to the brain.
ⓔ Going to bed a half-hour earlier would be better than sleep late and skip breakfast.
ⓕ One of the most interesting features of leopard sharks is their three-pointed teeth.

① ⓐ, ⓑ, ⓕ ② ⓑ, ⓒ, ⓓ ③ ⓑ, ⓒ, ⓕ
④ ⓐ, ⓒ, ⓕ ⑤ ⓒ, ⓔ, ⓕ

서술형 중요

7 우리말과 일치하도록 주어진 단어를 배열하여 빈칸에 알맞은 말을 쓰시오.

(1) 몇몇 소설가들은 자신의 이야기에 가능한 한 많은 등장인물들을 포함시키는 것을 선호한다.

Some novelists prefer to include ___________ ___________ in their stories.
(possible / as / characters / as / many)

(2) 런던에서 집을 임대하는 것은 다른 어느 곳보다 2배의 비용이 더 든다.

Renting a house in London costs ___________ ___________.
(as / twice / elsewhere / much / as)

(3) 이 펜 둘 다 마음에 들지만 이것이 다른 것보다 덜 비싸기 때문에 이것을 살 것이다.

I like both of these pens, but I'll take this one because it is ___________ ___________.
(expensive / the / than / less / one / other)

서술형 ⊙고난도

8 다음 글의 내용을 한 문장으로 요약하고자 한다. [조건]에 맞게 빈칸에 알맞은 말을 쓰시오.

A study in the *Journal of Experimental Social Psychology* suggests a way to make negotiations go smoother. In this study, when college students who negotiated the purchase of a motorcycle over an online instant messenger believed they were physically far apart (more than 15 miles), negotiations were easier and showed more compromise than when participants believed they were closer (a few feet). The experimenters explain that when people are farther apart, they consider the factors in a more abstract way, focusing on the main issues rather than getting hung up on less important points.

⬇

According to the study, ________ ________ away you are from the object of negotiation, ________ ________ ________ ________ ________ ________.

조건
1. 주어진 단어를 활용하여 빈칸에 한 단어씩 쓸 것
it, to, negotiate, easy, the, the, far, is
2. 「the + 비교급, the + 비교급」 구문을 이용할 것
3. 필요 시 단어의 형태를 바꿔 쓸 것

GRAMMAR POINT

15 수 일치

주어와 동사의 수 일치

❶ 주어의 형태에 따른 수 일치

- **구/절이 주어로 사용되는 경우:** 대개 단수 취급

  Singing on the global stage **is** not an easy task.

  When they became extinct **is** still a mystery.

- **구/절이 주어를 수식하는 경우:** 주어에 수 일치

  The ability to think creatively **is** very important.

  Books that sell the most **are** not always the best option.

❷ 관계사절의 수 일치

- **주격 관계대명사절:** 선행사에 수 일치

  People who **like** reading usually have good writing skills.

- **목적격 관계대명사절:** 관계사절 주어에 수 일치

  He always says hi to the people who he **meets** at the elevator.

❸ 주의해야 할 수 일치

- **부분 표현** (a lot, most, half, all, some / **백분율 / 분수 등**)**+명사:** 명사에 수 일치

  A lot of plastic waste **is** dumped into the oceans every day.

  Half of his income **goes** to charities.

- each/every**+명사:** 단수 취급

  Each member **needs** to fill out this form individually.

- **상관 접속사가 있는 경우**

  – both A and B: 복수 취급

  – either A or B / neither A nor B / not A but B / not only A but (also) B: B에 수 일치

  Neither he nor I **am** responsible for the situation.

  Not only my mom but also my sisters **like** to dance.

- **기타 주의해야 할 수 일치**

  – one of**+복수 명사 (~ 중 하나):** 단수 취급

  – a number of**+복수 명사 (여러 ~):** 복수 취급

  – the number of**+복수 명사 (~의 수):** 단수 취급

대명사의 수 일치

❶ 대명사는 지칭하는 명사에 수 일치

- A connection between a symbol and **its** referent is not necessarily causal.
- Long before Walt Whitman wrote *Leaves of Grass*, poets had addressed **themselves** to fame.

❷ 비교 구문에서의 대명사: 반복되는 비교 대상에 수 일치

- The number of members in my family is smaller than **that** in his family.
- The books in the new library are cleaner than **those** in the old library.

☑ 출제 FOCUS　[어법] 주어의 수에 맞는 동사 선택　[서술형] 수 일치가 되지 않은 동사나 대명사 수정

: 어법 확인

● 정답과 해설 p. 38

개념 확인

A 밑줄 친 부분이 어법상 맞으면 ○표, 틀리면 ×표 하시오.

1 I ate two apples and they were delicious. [ ]

2 Most of the employees was satisfied with their salary. [ ]

3 Your voice is lower than those of Richard. [ ]

4 One of the best songs I've ever heard are *Defying Gravity* from the musical *Wicked*. [ ]

5 Tom who always eats jelly is surprisingly slender. [ ]

B 밑줄 친 단어의 알맞은 형태를 쓰시오.

1 Being healthy be one of the most important things in our lives. → ____________

2 The number of tourists be over one hundred thousand in 2013. → ____________

3 Here be some interesting festivals you can enjoy in spring. → ____________

4 We learn we language very gradually as we grow up. → ____________

5 Your experiences are more interesting than that of Jasmine. → ____________

오류 수정

C 어법상 틀린 부분을 찾아 바르게 고치시오.

1 People who(ⓐ) are(ⓑ) successful(ⓒ) has often experienced(ⓓ) much failure(ⓔ).

( ) → ____________

2 It means(ⓐ) that(ⓑ) either(ⓒ) they or(ⓓ) he are(ⓔ) wrong.

( ) → ____________

3 Our products(ⓐ) last(ⓑ) longer than(ⓒ) that of(ⓓ) other companies(ⓔ).

( ) → ____________

4 The inventions(ⓐ) which(ⓑ) was made(ⓒ) by Edison have changed(ⓓ) the world(ⓔ).

( ) → ____________

: 서술형 연습

● 정답과 해설 p. 38

대표 유형 어법상 틀린 부분 수정

기출 예제 밑줄 친 부분 중 어법상 틀린 부분을 찾아 고쳐 쓰시오.

> School assignments have typically required that students work alone. This emphasis on individual productivity reflected an opinion that independence is a necessary factor for success. ❶❷ Having the ability to take care of oneself without depending on others ❷ were considered a requirement for everyone. Consequently, teachers in the past less often arranged group work or encouraged students to acquire teamwork skills.

❸ were → was

풀이 방법
❶ **출제 포인트:** 주어와 동사의 수 일치
❷ **주어와 동사 파악:** 문장의 실질적 주어(동명사구)와 동사(were) 찾기
❸ **어법상 틀린 부분 파악:** 구가 주어로 사용되는 경우에는 3인칭 단수 취급, were를 was로 수정

대표 유형 연습

[1~3] 밑줄 친 부분 중 어법상 틀린 부분을 찾아 고쳐 쓰시오.

1

> One CEO in one of Silicon Valley's most innovative companies have what would seem like a boring, creativity-killing routine. He holds a three-hour meeting that starts at 9:00 a.m. one day a week.

________ → ________

- **innovative** 혁신적인
- **routine** 일과, 일상

2

> Simply providing students with complex texts are not enough for learning to happen. Quality questions are one way that teachers can check students' understanding of the text. Questions can also promote students' search for evidence and their need to return to the text to deepen their understanding.

________ → ________

- **provide** 제공하다
- **complex** 복잡한
- **quality** 양질의
- **promote** 촉진시키다
- **evidence** 증거
- **deepen** 심화시키다

3

> What kept all of these people going when things were going badly were their passion for their subject. Without such passion, they would have achieved nothing.

________ → ________

- **passion** 열정
- **achieve** 이루다, 달성하다

빈출 유형 연습

4 빈칸 (A), (B)에 알맞은 be동사의 형태를 쓰시오.

All true artists create from a place of no-mind, from inner stillness. Even great scientists have reported that their creative breakthroughs came at a time of mental quietude. I think that the simple reason why the majority of scientists ____(A)____ not creative ____(B)____ not because they don't know how to think, but because they don't know how to stop thinking.

(A) ________________ (B) ________________

- inner 내부의
- stillness 고요함
- breakthrough 돌파구
- quietude 정적, 고요

5 밑줄 친 ⓐ~ⓔ 중 어법상 틀린 것을 찾아 고쳐 쓰시오.

Plastic is extremely slow to degrade and tends to float, ⓐ which allows them to travel in ocean currents for thousands of miles. ⓑ Most plastics break down into smaller pieces when exposed to ultraviolet (UV) light, forming microplastics. ⓒ These microplastics are very difficult to measure once ⓓ they are small enough to pass through the nets typically used to collect them. Their impacts on the marine environment and ⓔ food webs are still poorly understood.

(   ) → ______________________________

- extremely 매우
- degrade 분해되다
- current 해류
- expose 노출하다
- ultraviolet light 자외선
- marine 해양의

6 밑줄 친 (A), (B)의 우리말을 [보기]의 단어에 필요한 단어를 추가하여 영작하시오. (필요 시 어형 변화 가능)

In perceiving changes, we tend to regard (A) 가장 최근의 것들을 as the most revolutionary. This is often inconsistent with the facts. Recent progress in telecommunications technologies (B) 더 혁명적인 것은 아니다 than what happened in the late nineteenth century in relative terms.

보기

one   recent   revolutionary   be

(A) ______________________ (B) ______________________

- perceive 인식하다
- regard ~라고 여기다
- revolutionary 혁명적인
- inconsistent 일치하지 않는
- progress 발전
- telecommunication 전기 통신 공학
- relative 상대적인
- term ~한 면

내신 대비 문제

● 정답과 해설 p. 39

[1~3] 빈칸에 들어갈 말로 알맞은 것을 고르시오.

1

Let's stop arguing because now we know that both you and I ___________ correct.

① be ② am ③ are
④ is ⑤ to be

2

Two thirds of the surface of the earth ___________ water.

① be ② am ③ are
④ is ⑤ to be

3

Each of the characters ___________ unique and interesting.

① be ② am ③ are
④ is ⑤ to be

중요

4 빈칸에 들어갈 make의 형태가 나머지 넷과 다른 하나는?

① Every person ___________ CO_2 when they breathe out.
② Knowing that they are giving ___________ them feel good.
③ Depending too much on parents ___________ all kinds of problems.
④ I will be awake by the time my dad ___________ breakfast.
⑤ Neither Janet nor I ___________ a noise when we are in the library.

고난도

5 빈칸에 들어갈 단어가 같은 것끼리 짝 지어진 것은?

ⓐ He ate my muffin even though he knew that ___________ was mine.
ⓑ That's why ___________ with habits seem to be happier than other people.
ⓒ Salespeople who are optimistic sell more than ___________ who are pessimistic.
ⓓ Cats who stayed with their family members were healthier than ___________ who stayed alone.
ⓔ Though a great deal of day-to-day academic work is boring, you need to keep doing ___________.
ⓕ Some people on other side of this planet are suffering from hunger and ___________ makes me sad.

① ⓐ, ⓑ, ⓒ ② ⓑ, ⓒ, ⓓ ③ ⓒ, ⓓ, ⓔ
④ ⓓ, ⓔ, ⓕ ⑤ ⓑ, ⓒ, ⓕ

6 빈칸 (A), (B)에 들어갈 말끼리 짝 지어진 것은?

Everyone knows a young person who is impressively "street smart" but ___(A)___ poorly in school. We think it is a waste that one who is so intelligent about so many things in life seems unable to apply that intelligence to academic work. What we don't realize ___(B)___ that schools and colleges might be at fault for missing the opportunity to draw such street smarts and guide them toward good academic work.

	(A)		(B)		(A)		(B)
①	do	–	is	②	do	–	are
③	does	–	are	④	does	–	is
⑤	did	–	is				

고난도

7 어법상 틀린 문장을 모두 고르면?

① A number of birds was flying in the sky.
② One of the books in this library was donated by me.
③ The part in the west side was larger than that in the east side.
④ The reward that matters most to people is the praise from their friends.
⑤ The only difference between grapes and raisins are that grapes have much water in them.

8 밑줄 친 ①~⑤ 중 어법상 틀린 것은?

Attaining the life a person wants ① is simple. However, most people settle for less than their best ② because they fail to start the day off right. If a person ③ starts the day with a positive mindset, that person ④ is more likely to have a positive day. Moreover, how a person approaches the day ⑤ impact everything else in that person's life.

서술형

9 다음 문장이 어법상 맞으면 ○표, 틀리면 ×표 하고 틀린 부분을 찾아 바르게 고치시오.

(1) These days, the number of obese children are increasing.
( ) ______ → ______

(2) One of the key factors in happiness are a good memory.
( ) ______ → ______

(3) To know what you already have is more important to know what you don't have.
( ) ______ → ______

(4) Most of the important things in the world has been accomplished by people who have kept on trying when there seemed to be no hope at all.
( ) ______ → ______

서술형 중요

[10~11] 밑줄 친 우리말을 주어진 표현을 배열하여 영작하시오. (필요 시 어형 변화 가능)

10

There is a study that shows the percentages of children in different age groups who read books for fun at least five days a week in 2012 and 2014. In the study, in both years, the percentages of the 6-8 age group ranked first, followed by the 9-11 age group. In 2012, the percentage of the 6-8 age group 15-17세 집단의 그것보다 두 배로 컸다.
(as large as / that / twice / the 15-17 age group / of / be)

______

______

11

가장 필수적인 선택 중 하나는 ~이다 how we invest our time. Of course, how we invest time is not our decision alone to make. Many factors determine what we should do either because we are members of the human race, or because we belong to a certain culture and society.
(one / most / the / be / of / essential / decision)

______

______

시험에 나오는 주요 표현

❶ 전치사를 동반하는 동사

형태	의미
agree with + 사람 agree to + 제안, 의견	~에 동의하다
answer to	~에 일치하다, 부합하다
answer for	~을 책임지다
apply A to B	A를 B에 적용하다
associate A with B	A와 B를 관련 지어 생각하다
attribute A to B	A를 B의 덕분(탓)이라고 생각하다
compare A with (to) B	A와 B를 비교하다
consider A as B	A를 B라고 여기다
consist of	~으로 구성되다
consist in	~에 (놓여) 있다
consist with	~와 일치하다
correspond with	~와 부합하다
convince A of B	A에게 B를 확신시키다
deal with	~을 다루다, 취급하다
devote A to B	A를 B에 바치다
inform A of B	A에게 B를 알리다
inquire into = look into	~을 조사하다
lead A to B	A를 B로 이끌다
replace A with B	A를 B로 대체하다
substitute A for B	A로 B를 대신하다
take A for B	A를 B로 생각하다
transform A into B	A를 B로 바꾸다

❷ 구전치사

형태	의미
according to	~에 따라
along with	~과 함께; ~과 일치하여
as for(to)	~에 관해서
aside from	~ 외에도
by means of = by virtue of	~에 의해서, ~의 덕택으로
contrary to = in contrast to	~에 반해, ~와 대조적으로
for the purpose of = with the object of = with a view to = with the view of	~할 목적으로
in accordance with	~에 따라서, ~와 일치하여
in comparison with = compared with	~와 비교하면
in common with = together with	~와 함께, ~처럼
in consequence of = as a result of	~의 결과로써
in the light of = in view of	~에 비추어서, ~의 관점에서
in pursuit of = in search of	~을 추구하여, ~을 찾아서
on account of	~ 때문에
owing to	~ 때문에, ~ 덕분에
regardless of	~에 상관없이
when it comes to	~에 관한 한
without regard to = regardless of = irrespective of	~에 관계없이

GRAMMAR **POINT 15**

고등 영어 어법 서술형

정답과 해설

지학사

GRAMMAR **POINT 15**

고등 영어 어법 서술형

정답과 해설

동사의 시제와 태

어법 확인 p. 07

A

1 is admired　2 to her　3 to wash
4 study　5 has been bothering

B

1 ○　2 ×　3 ×　4 ×　5 ○

C

1 ⓓ → rains　2 ⓑ → did mothers start
3 ⓐ → have studied　4 ⓐ → had been trying

A

해석

1 Anderson 씨는 그의 학생들에게서 존경받는다.
2 그녀는 그 선물이 산타클로스가 준 것이라고 믿었다.
3 Sam은 그의 엄마에 의해 설거지를 하게 되었다.
4 여러분이 온라인으로 공부할 때, 간혹 고립되어 있고 외롭다고 느낄 것이다.
5 2018년 이후로 내 목의 통증이 나를 괴롭혀 오고 있다.

해설

1 주어인 Mr. Anderson이 존경을 받는 것이므로 현재 수동태
2 4형식의 수동태에서 동사가 give일 때 간접 목적어 앞에 전치사 to 필요함.
3 사역동사의 수동태에서는 능동태에서 동사원형이었던 목적격 보어를 to부정사로 바꿔야 함.
4 시간 부사절이므로 현재 시제가 미래를 나타냄.
5 2018년 이후로 현재까지 목의 통증으로 괴로운 것이므로 현재완료진행 시제

B

해석

1 분홍색은 그녀가 가장 좋아하는 색이고, 그것이 그녀가 항상 분홍색 옷을 입는 이유이다.
2 이 그림은 지난달에 Becky에 의해 그려졌다.
3 그는 스마트폰을 사용하는 법을 잘 안다.
4 물은 우리에 의해 오염될 수 있다.
5 그는 새로 설립된 런던 학회의 장으로 선출되었다.

해설

1 현재의 습관적인 사실을 나타내므로 현재 시제 is, wears가 쓰임.
2 주어인 그림은 그려지는 것이고 last month로 과거를 나타내는 부사가 있으므로 과거 수동태이어야 함. painted → was painted
3 의식을 나타내는 동사 know는 진행형으로 쓰지 않음. is knowing → knows
4 주어인 물은 오염이 되는 것이므로 조동사의 수동태이어야 함. can polluted → can be polluted
5 그가 선출된 것이므로 과거 수동태 was elected가 쓰임.
어휘 principal (단체의) 장

C

해석

1 나는 내일 비가 오면 집에 있을 것이다.
2 어머니들은 언제 딸들에게 핑크색으로 옷을 입히기 시작했는가?
3 그 연구자들은 그 현상에 대해 몇 년간 연구해 왔다.
4 나는 그가 내 지갑을 내게 돌려주려고 했었다는 것을 깨달았다.

해설

1 ⓓ 조건 부사절에서는 현재 시제로 미래를 나타냄.
2 ⓑ 특정 시점을 묻는 의문사 when이 쓰인 문장에서 현재완료 시제 쓸 수 없음. 과거 시제로 바꿔야 함.
3 ⓐ 연구자들이 연구한 주체이므로 현재완료 수동태를 현재완료 능동태로 바꿔야 함.
4 ⓐ 주절의 시제가 과거이므로 that절의 시제는 과거나 과거완료가 되어야 하고 그가 과거 이전부터 과거까지 지갑을 돌려주기 위해 계속 노력한 것이므로 과거완료진행 had been trying으로 바꿔야 함.

서술형 연습 p. 08

기출 예제 해석

수를 읽을 때 우리는 가장 오른쪽보다 가장 왼쪽 숫자에 의해 더 영향을 받는데, 그것이 우리가 그것들을 읽고 처리하는 순서이기 때문이다. 수 799는 800보다 현저히 작게 느껴지는데, 그것은 우리가 전자를 7로 시작하는 어떤 것으로, 후자를 8로 시작하는 어떤 것으로 인식하기 때문이며, 반면에 798은 799와 상당히 비슷하게 느껴진다. 19세기부터 가게 주인들은 상품이 실제보다 싸다는 인상을 주기 위해 9로 끝나는 가격을 선택함으로써 이 요령을 이용해 왔다. 연구는 현재 모든 소매가격의 3분의 1에서 3분의 2 정도가 9로 끝난다는 것을 보여 준다.

대표 유형 연습 + 빈출 유형 연습

1 we will telephone you immediately
2 you will have achieved your goals
3 ⓑ → has been discussed
ⓓ → are considered gullible
4 (1) were given to them by him
(2) were given instructions by him
5 can be instantaneously written, shot, and made available to the entire world by them
6 Central America has been hit hard by a series of hurricanes

1 **해석** 가구 제조업체에서 저희 창고로 배송하는 동안 발생한 손상으로 인해 책상 배달이 예상보다 오래 걸릴 것입니다. 우리는 제조업체에 정확한 교체품을 주문했으며, 그 배송은 2주 이내에 이루어질 것으로 예상합니다. 책상이 도착하자마자 우리는 즉시 귀하에게 전화하여 편리한 배달 시간을 마련하겠습니다.
해설 미래의 일에 대해 알리는 것이므로 동사를 미래 시제 will telephone으로 바꿈.

2 해석 미래에 대해 생각하는 것은 중요하지만, 현재의 순간에 집중하는 것도 필요해. 너는 귀중한 현재 시간을 낭비하고 있어! 너의 목표를 성취하기 위해서, 너는 단순히 그것들에 대해 꿈꾸는 것 이상을 할 필요가 있어. 그러니 지금 행동을 취해, 그러면 십 년 후에는 너의 목표를 성취할 거야.

해설 10년 후에 자신의 목표를 성취할 수 있을 것이라는 내용이므로 동사를 미래완료 시제 will have achieved로 바꿈.

3 해석 인생의 거의 모든 것에는 좋은 것에도 지나침이 있을 수 있다. 심지어 인생에서 최상의 것도 지나치면 그리 좋지 않다. 이 개념은 적어도 아리스토텔레스 시대만큼 오래전부터 논의되어 왔다. 그는 미덕이 있다는 것은 균형을 찾는 것을 의미한다고 주장했다. 예를 들어, 우리는 타인을 신뢰해야 하지만, 만약 우리가 그들을 너무 신뢰한다면 우리는 잘 속아 넘어가는 사람으로 간주된다.

해설 ⓑ 개념이 과거부터 현재까지 논의되어져 왔던 것이므로 현재완료 수동태

ⓓ 현재 사실이고 '그들이 ~라고 여겨지는' 것이므로 현재 수동태

4 해석 두 제자는 숲을 가로지르는 길의 출발선에서 그들의 스승과 만났다. 스승은 그 주의 후반에 있을 테스트를 위한 준비로 그들에게 지시했다. 길은 두 갈래로 갈라졌는데, 하나는 막힌 것이 없고 평탄했지만, 다른 하나는 쓰러진 통나무들과 다른 장애물들이 길을 막고 있었다.

해설 (1) 직접 목적어 instructions가 3인칭 복수 주어이므로 동사 gave를 과거 수동형으로 바꾸고 주어에 수 일치시키면 were given. 수동태 전환 시 give의 간접 목적어 앞에 전치사 to를 쓰므로 to them. 마지막에 「by+행위자」 by him 순으로 씀.

(2) 간접 목적어 they는 복수 주어이므로 동사를 were given으로 바꾸고 뒤에 직접 목적어 instructions, 「by+행위자」 by him 순으로 씀.

5 해석 저널리스트들은 그들 모두가 정보의 원천과 접촉하거나, 타이핑하거나, 또는 비디오를 편집하는 중심 장소에 보고할 필요가 없다. 그들은 즉각적으로 기사를 작성하고, 촬영하고, 전 세계에서 보는 것을 가능하게 할 수 있다.

해설 밑줄 친 문장은 목적어와 목적격 보어가 있는 5형식 문장이며 목적어인 Stories가 주어가 되면 수동태로 변형해야 함. 문장은 조동사 can 뒤에 세 개의 동사원형이 병렬 구조를 이루고 있으므로 can be p.p. 형태로 변형함. 부사 instantaneously는 be와 p.p. 사이에 위치시킴. 목적격 보어 available은 형용사 보어이므로 형태 그대로 씀.

6 해석 텔레비전과 신문의 사진을 보는 것으로부터 여러분 모두가 아시는 것처럼, 중앙아메리카가 일련의 허리케인에 의해 강하게 공격받았습니다. 수만 명의 사람들이 집을 잃었고, 식량과 옷 같은 기본적인 필수품이 없습니다. 저는 우리가 돕기 위해 무엇인가를 해야 한다고 느낍니다.

해설 주어 Central America, 말하는 시점인 현재 이전부터 공격을 받은 것이므로 동사는 현재완료 수동이어야 하고 주어가 3인칭 단수이므로 has been hit, 「by+행위자」에 해당하는 by a series of hurricanes 순으로 씀.

내신 대비 문제

p. 10

1 ① **2** ② **3** ④ **4** ⑤ **5** ③ **6** ②

7 (1) × → A long letter was written to me
(2) × → I was given an iPad
(3) ○ (4) × → My cat was looked after

8 (A) had been placed (B) launched

9 the object had been transferred to the second box

10 whether they were alone or observed by others

1 해석 오래되면 나무가 부러지기 때문에, 어릴 때 구부려라. (세 살 버릇 여든까지 간다.)

해설 ① 시간 부사절에서 현재 시제가 미래를 나타내므로 is

2 해석 우리 가족은 지난 주말에 Tara 호수로 낚시를 갔고 정말 즐거운 시간을 보냈다.

해설 ② 지난 주말에 일어난 일이므로 과거 시제

3 해석 수 세기 동안 사람들은 커피를 마셔 왔지만, 어디서 커피가 유래했는지 혹은 누가 그것을 처음 발견했는지는 분명하지 않다.

해설 ④ 과거부터 수 세기 동안 커피를 마시고 있다는 의미이므로 현재완료진행형 have been drinking

| TIP | 진행형이 불가능한 동사는 현재완료 시제로 표현함.

어휘 originate 유래하다

4 해석 ① 그 회의는 아직 취소되지 않았다.

② 귀하의 우리 신문 구독이 곧 끝납니다.

③ 변화의 혜택이 매력적이지 않고 그 시스템이 시작된다.

④ James Van Der Zee는 메사추세츠 주 Lenox에서 1886년 6월 29일에 태어났다.

⑤ 만약 나무가 스트레스가 많은 상황을 경험하면, 그 기간에는 거의 자라지 않는다.

해설 ⑤ 조건 부사절에서 현재 시제가 미래를 나타내므로 현재형으로 바꿔야 함. will experience → experiences

5 해석 모든 포유동물은 어느 시점에서는 부모를 떠나야 한다. 하지만 성인 인간은 대개 안락한 생활을 제공하는데, 충분한 음식이 식탁 위에 차려지고, 일정한 기간마다 돈이 지급된다. 십대 아이가 부모와 대립하지 않는다면, 그들은 결코 떠나고 싶어하지 않을 것이다. 사실, 부모와의 정을 떼는 것은 아마도 성장의 필수적인 부분이다. 나중에 여러분이 독립하게 되면, 그들을 다시 사랑하기 시작할 수 있을 것이다.

해설 (A) 돈은 주어지는 것이므로 수동태 is given

(B) 현재의 일반적 사실을 나타내므로 현재 시제 is

(C) 시간 부사절에서는 현재 시제가 미래를 나타내므로 현재형 live

어휘 mammal 포유류 provide 제공하다 existence 생활; 존재 interval 기간 independently 독립적으로

6 해석 ⓐ 휴대 전화 가격은 작년 이후로 현저하게 감소했다.

ⓑ Shirley Chisholm은 1946년에 교사로서의 경력을 시작했다.

ⓒ 너의 결정은 다른 사람들에게 어떤 영향도 주지 않을 것이다.

ⓓ 당신은 언제 사진사가 되기로 결심했나요?

ⓔ 판사들은 내가 매우 정직하다고 말했다.

ⓕ 우리는 보통 통계 조사가 어떻게 이루어지는지 모른다.

해설 ⓑ in 1946이라는 구체적인 과거 시점이 쓰였으므로 과거 시제이어야 함. has begun → began

ⓒ have는 수동태로 쓰지 않음. will be had → will have

ⓓ 특정한 시점을 물을 때는 현재완료 시제로 쓰지 않음. have you decided → did you decide

어휘 decrease 감소하다 significantly 현저하게, 많이 have impact on ~에 영향을 주다 statistical 통계의 conduct 수행하다

7 해석 (1) 긴 편지가 나의 가장 친한 친구에 의해 내게 쓰였다.
(2) 나는 부모님에게서 생일 선물로 iPad를 받았다.
(3) 그는 그의 부정직함에 대해 비난받을 것이다.
(4) 나의 가족이 휴가인 동안 나의 고양이는 Tina에게서 돌봄을 받았다.

해설 (1) 4형식 동사 write가 수동태 문장에 쓰일 때 간접 목적어 앞에 to를 써야 함.
(2) 아이패드를 준 주체는 by 이하이므로 수동태가 되어야 함. 문장의 시제가 과거이고 주어가 I이므로 동사를 was given으로 바꿔야 함.
(4) 고양이를 돌봐 준 주체는 by 이하이므로 수동태가 되어야 함. 문장의 시제가 과거이고 주어가 3인칭 단수이므로 was looked after로 바꿔야 함.

8 해석 제자는 스승을 보고 미소를 지었다. 그는 이제 그의 길 위에 놓여 있던 장애물들이 그의 준비의 일부였다는 것을 알았다. 그는 어려움들을 피하는 것이 아니라, 극복하는 것을 선택함으로써 도약할 준비가 되어 있었다. 그는 가능한 한 빨리 달렸고 자신을 공중으로 내던졌다.

해설 (A) 장애물이 과거 이전에 놓여 있던 것이므로 과거완료 수동태
(B) 동사 ran과 병렬 연결되어야 하므로 과거형

9 해석 한 실험자가 하나의 상자에 물건을 놓고 방을 떠났다. 또 다른 실험자가 그 방에 들어와 그 물건을 다른 상자에 옮기고 떠났다. 첫 번째 실험자가 돌아와 첫 번째 상자에서 그 물건을 다시 꺼내려고 했을 때, 그 유인원은 실험자가 두 번째 상자를 열도록 도와주었는데, 그것(유인원)이 그 물건이 두 번째 상자로 옮겨졌다는 것을 알고 있기 때문이었다.

해설 문맥상 빈칸에는 '그 물건이 두 번째 상자로 옮겨졌다'는 내용이 들어가야 함. 글 전체가 과거 시제로 쓰였고 물건이 두 번째 상자로 옮겨진 것은 과거보다 앞선 시제이므로 동사를 과거완료 수동태 had been transferred로 바꿈.

10 해석 한 연구에서, Temple 대학교의 심리학자 Laurence Steinberg와 그의 공동 저자인 심리학자 Margo Gardner는 306명의 사람들을 세 연령 집단, 평균 나이 14세인 어린 청소년, 평균 나이 19세인 나이가 더 많은 청소년, 그리고 24세 이상인 성인으로 나누었다. 피실험자들은 게임 참가자가 도로에 경고 없이 나타나는 벽에 충돌하는 것을 피해야 하는 컴퓨터 운전 게임을 했다. Steinberg와 Gardner는 무작위로 몇몇 참가자들을 혼자 게임하거나 혹은 두 명의 같은 나이 또래들이 그들을 지켜보는 가운데 게임을 하게 했다. 나이가 더 많은 청소년들은 그들의 또래들이 같은 방에 있을 때 위험 운전 지수에서 약 50퍼센트 더 높은 점수를 기록했다. 그리고 어린 청소년들의 운전은 다른 어린 십 대들이 주변에 있을 때 무려 두 배 더 무모했다. 대조적으로, 성인들은 그들이 혼자 있든지 혹은 다른 사람에 의해 관찰되든지 상관없이 유사한 방식으로 행동했다.

해설 • 빈칸 내용 파악: 글은 또래와 함께 있을 때 무모한 행동을 더 하는지에 대한 실험 내용임. 평균 나이 14세인 어린 청소년들은 또래와 함께 있으면 혼자 있을 때보다 무모한 행동을 두 배 더 하고, 19세인 청소년들은 또래들이 함께 있을 때 50퍼센트 더 무모하게 행동하는데 성인들은 이들과 대조적으로 행동했다는 내용임. 따라서 빈칸이 속한 문장은 성인은 혼자 있든지 다른 사람에 의해 관찰되든지 상관없이 행동했다는 내용이 되어야 함.
• 동사의 형태: 문장의 기본 시제가 과거이므로 두 개의 동사 모두 과거 시제를 나타내야 함. 따라서 '혼자 있다'를 나타내는 were alone과 '관찰되다'를 의미하는 were observed를 써야 함.
• 문장 순서 배열: 「whether A or B」 구문을 이용하여 각 절을 or 앞뒤로 배치하고 공통인 「주어+동사」 they were는 뒤의 절에서 생략함.

GRAMMAR POINT 02 조동사

어법 확인 p. 13

A

1 appear 2 cannot 3 have left
4 love 5 could have

B

1 cannot(can't) 2 would
3 had better 4 couldn't have

C

1 ⓒ → (should) leave
2 ⓓ → might have told
3 ⓓ → used to live
4 ⓐ → uncover

A

해석

1 나는 외국인들에게 대리운전 기사들이 정말 낯설어 보일 수 있다고 생각한다.
2 흥미로운 동아리가 많아서 나는 어떤 동아리에 가입할지 결정할 수가 없다.
3 나는 회의에 늦었다. 나는 더 일찍 집을 나섰어야 했다.
4 아빠는 내게 내가 관심 분야를 찾고 내 친구들을 사랑해야 한다고 말했다.
5 그녀는 그에게 메시지를 남겼어야 했는데 그러지 않았다.

해설

1 may+동사원형
어휘 substitute driver 대리운전 기사
2 cannot+동사원형: 현재의 가능성
3 should have p.p.: 과거에 하지 않은 것에 대한 후회
4 find와 함께 should에 병렬 연결된 동사이므로 동사원형
5 could have p.p.: 과거에 하지 않은 일에 대한 유감

B

해설

1 '~할 수 있다'라는 의미의 조동사 can의 부정형 cannot(can't)

2 과거의 불규칙적 습관을 나타내는 would

3 '~하는 것이 낫다'라는 의미의 had better

4 couldn't have p.p.: 과거에 대한 확실한 부정적 추측

C

해석

1 그는 내가 즉시 떠날 것을 명령했다.

2 그녀는 내게 그가 일전에 그녀에게 거짓말을 했을지도 모른다고 말했다.

3 이곳은 그 시인이 살던 집이다.

4 그들은 그들이 매우 잘 통제할 수 있는 한 가지를 알아냈다.

해설

1 ⓒ 주절의 동사 order가 명령의 의미를 가지고 있으므로 that절 동사는 「(should) 동사원형」

2 ⓓ 과거에 대한 불확실한 추측을 나타내므로 might have p.p.

3 ⓓ '~하곤 했다'라는 의미로 과거의 규칙적 습관을 나타내므로 「used to+동사원형」
cf. be used to+동사원형: ~하는 데 사용되다

4 ⓐ 일반동사를 강조하는 조동사 did가 앞에 쓰였으므로 동사원형

서술형 연습 p. 14

기출 예제 해석

Louis가 연주하고 있을 때, 파리 한 마리가 그의 코에 내려앉았다. 그래서 그는 그것을 불어서 날려버렸다. 그것은 녹화되고 있었고, 모든 청중은 웃고 있는 모습을 보여 주지 않으려고 애썼다. Louis가 공연을 끝냈을 때, 모든 사람들이 웃음보를 터뜨렸다. 그리고 그때 감독이 나와서 "파리 없이 한 번 더 촬영합시다."라고 말했다. 하지만 그것이 그가 TV에 내보냈어야 할 촬영분이었다.

대표 유형 연습 + 빈출 유형 연습

1 Skilled workers may(might) have used simple tools

2 The CEO's words must have discouraged her manager and negatively affected his performance.

3 how they should have been functioning

4 ⓒ → used to eat more when food was available

5 ⓑ → that newcomers to the labor market (should) provide evidence

1 해석 한 사람은 남성용 신발을 만들고 또 다른 사람은 여성용 신발을 만든다. 숙련된 직공들이 간단한 도구들을 사용해 왔는지 모를 일이지만, 그들의 전문화는 결과적으로 더욱 효율적이고 생산적인 작업을 가져왔다.
해설 과거에 대한 불확실한 추측을 나타내는 may(might) have p.p.

2 해석 내 친구는 나에게 그녀의 관리자 중 한 명에게, "당신이 나에게 말할 수 있는 것 중에 내가 전에 이미 생각해 본 적이 없는 것은 없어요. 내가 당신에게 묻지 않으면 당신이 생각하는 것을 나에게 절대로 말하지 마세요."라고 말한 최고 경영자에 대해 말해 준 적이 있다. 그 CEO의 말은 그녀의 관리자를 낙담시키고 그의 업무 수행에 부정적으로 영향을 끼쳤음에 틀림없다.
해설 과거에 대한 확실한 추측을 나타내는 must have p.p.

3 해석 신경과학자인 Antonio Damasio는 그들의 감정 체계에 손상을 입힌 뇌 부상을 제외하고 모든 면에서 완벽하게 정상인 사람들을 연구했다. 결과적으로, 그들은 세상 속에서 결정을 내리거나 효과적으로 기능할 수 없었다. 그들은 자신들이 어떻게 기능하고 있어야만 했는지 정확하게 설명할 수는 있었지만, 어디에 살고, 무엇을 먹고, 어떤 제품을 사서 사용할지는 결정할 수가 없었다.
해설 과거에 하지 않은 일에 대한 후회를 나타내는 should have p.p.의 진행형인 should have been -ing

4 해석 역사를 빠르게 살펴보면 인간은 오늘날 대부분의 발전된 세상에서 즐기는 음식의 풍부함을 항상 가지지를 못했다는 것을 보여 준다. 사실, 역사적으로 음식이 꽤 부족했던 수많은 시기가 있었다. 그 결과, 사람들은 다음번 식사의 가능성이 확실치 않았기 때문에 음식이 있을 때 더 많이 먹곤 했다.
해설 ⓒ used to+동사원형: ~하곤 했다 (과거의 규칙적 습관)
cf. • be used to+동사원형: ~하는데 사용되다
• be used to -ing: ~하는데 익숙해지다
|TIP| used to가 조동사인지 수동태의 p.p.인지 유의

5 해석 뉴 밀레니엄 시대 이후, 기업들은 향상된 생산성을 요구하는 더 많은 국제적 경쟁을 경험해 왔다. 이러한 상황은 고용주들로 하여금 노동 시장에 새로 온 이들이 전통적인 독립성뿐만 아니라 팀워크 기술을 통해 보이는 상호 의존성도 입증할 증거를 제시할 것을 주장하게 했다. 교육자의 도전 과제는 기본적인 기술에서의 개별 능력을 보장하는 동시에 학생들이 팀에서 잘 수행할 수 있게 하는 학습 기회를 늘려 주는 것이다.
해설 ⓑ 주장 동사 insist의 목적어절이므로 that절의 동사는 「(should)+동사원형」

내신 대비 문제 p. 16

1 ⑤ 2 ②, ③ 3 ⑤ 4 ① 5 ①, ③ 6 ⑤

7 (1) cannot have done such a mean thing
(2) I may have said that to you
(3) couldn't remember her name, did remember her face

8 ⓐ were used to → used to
ⓑ stimulates → (should) stimulate
ⓕ may have not remember → may not remember

9 (A) should (B) could (C) will

1 해석 ① 우리는 커피를 함께 마시곤 했다.
② 우리는 스포츠 경기의 결과를 예측할 수 없다.
③ 건강 증진을 위해 너는 가게까지 걸어가는 것이 더 좋다.
④ 수사관들은 용의자 누구도 사적으로 접촉하면 안 된다.
⑤ 스포츠 마케터들은 오직 승리에만 기반을 둔 마케팅 전략을 피해야만 한다.

해설 ① used to+동사원형: ~하곤 했다(과거의 규칙적 습관) were used to have → used to have
② 조동사 다음에는 동사원형이 와야 함. to predict → predict
③ had better: ~하는 것이 더 낫다 have better → had better
④ ought to를 부정할 때는 부정어를 to 앞에 씀. ought to not contact → ought not to contact

2 해석 ① 과자 좀 먹을래?
② 그는 그 소식을 들었을 것이다.
③ 당신은 그 제안을 거절하는 것이 낫다.
④ 나는 그에게 병원에 갈 것을 제안했다.
⑤ 이 문장은 오류가 있을 수도 없을 수도 있다.
해설 ② 과거의 불확실한 추측을 나타내므로 may have p.p.가 되어야 함. hear → heard
③ had better 뒤에는 동사원형을 씀. to reject → reject

3 해석 ① 다가오는 차를 항상 볼 수는 없기 때문에 도로를 불법적으로 건너는 것은 매우 위험하다.
② 주목해 주시겠습니까? 저는 여러분의 교장 선생님인 Adams입니다.
③ 제 바지의 얼룩을 내일까지 없애 주실 수 있을까요? 저는 이번 금요일에 그것을 입어야 합니다.
④ 그는 모임에 또 참석하지 않았다. 그는 그것을 잊어버렸을 것이다.
⑤ 상황이 예전과 같지 않다.
해설 ⑤ 과거의 상황을 나타내므로 조동사 used to가 쓰여야 함. are used to be → used to be

4 해석 여러분이 목표를 세울 때, 여러분은 그것에 대해 매우 흥분한다. 이 단계에서 여러분은 성공적이며 행복하다고 느끼면서, 그 산의 정상에 도착했을 때 승리의 춤을 추고 있는 여러분 자신을 상상하기까지 할 수 있다. 하지만, 여러분의 목표를 성취하기 위해 계획을 실천하기 시작하면서, 그 행복감과 즐거움은 갑자기 사라진다. 그것은 여러분의 목표로 향하는 길인 계획의 이행이 그 계획만큼 매력적이지 않을 수 있기 때문이다. 여러분이 성공으로 가는 길의 명백한 현실에 직면했을 때 여러분은 쉽게 동기를 잃을 수 있다.
해설 (A) 현재의 가능성을 나타내야 하므로 can
(B) 가능성을 나타내야 하므로 might
(C) 조동사 can과 본동사 사이에 부사가 온 경우이며 본동사이므로 동사원형 lose
어휘 implementation 이행, 수행 appealing 매력적인

5 해석 속이는 말이지만 기분 좋게 만드는 말과 같은 사회적 거짓말("네 새 헤어스타일 마음에 든다.")은 상호 관계에 도움이 될 수 있다. 사회적 거짓말은 심리적 이유 때문에 하며, 자신의 이익과 타인의 이익 모두에 부합한다. 항상 진실을 듣는 것("너 지금 몇 년 전보다 훨씬 더 나이 들어 보인다.")이 사람의 자신감과 자존감을 해칠 수 있기 때문에 사회적 거짓말은 타인의 이익에 부합한다.
해설 ① 현재의 가능성을 나타내므로 「may+동사원형」 may have benefited → may benefit
③ 주어 Social lies가 제공하는 것이므로 능동태 are served → serve

6 해석 나는 "내 여동생을 발견했어요!"라고 내가 막 데려온 우리 가족의 새로운 구성원을 엄마가 볼 수 있도록 유모차를 밀고 다니면서 자랑스럽게 말했다. 그 당시 나는 세 살이 채 되지 않았고, 그 아기는 그보다 고작 몇 개월 더 어렸다. 나는 그녀가 나를 올려다보며 미소 짓고 있던 것을 기억한다. 나는 그녀의 웃음을 그 방치된 유모차를 가져가라는 허락으로 받아들였음에 틀림없다. "설마! 아니겠지!" 엄마가 놀라서 말을 제대로 못하며 그녀 자신의 입에 손을 갖다 댔다.
해설 (A) '볼 수 있다'라는 의미가 되어야 하고 문장의 시제가 과거이므로 could see
(B) '~했음에 틀림없다'라는 의미가 되어야 하므로 과거에 대한 매우 확실한 추측을 나타내는 must have p.p.
어휘 stroller 유모차 toddler 아기 permission 허락 gasp 말을 제대로 못하다, 숨이 차다

7 해설 (1) cannot have p.p.: ~했을 리가 없다
(2) may have p.p.: ~했을지도 모른다
(3) 조동사 과거형 could, did 뒤에는 동사원형이 옴.

8 해석 ⓐ 여러분이 사춘기에 이를 때, 여러분은 예전에 이전 친구들과 그랬던 것보다 공통점이 덜하다는 것을 발견한다.
ⓑ 그들은 아버지가 전통적인 방식으로 자녀들에게 격려해야 한다고 주장한다.
ⓒ 하지만 공룡은 한때 진짜 살았다.
ⓓ 우리는 몇 자루의 펜을 사야 하니?
ⓔ Kate는 그녀가 영어를 공부하며 너무 많은 시간을 보낸다고 종종 주장할 수 있다.
ⓕ 이것을 기억 못하실 수도 있지만, 당신은 저를 도와주셨습니다.
해설 ⓐ 과거의 습관을 나타내는 used to
ⓑ 주장 동사 insist의 목적어절에서는 「(should)+동사원형」이 쓰임.
ⓕ 현재 상황에 대한 추측이나 가능성의 의미가 되어야 하므로 「may+동사원형」

9 해석 비전은 움직이는 목표물을 쏘아 맞히는 것과 같다. 많은 것들이 미래에 잘못될 수 있고, 더 많은 것들이 예측할 수 없는 방식들로 변할 수 있다. 그러한 일들이 일어날 때, 당신은 새로운 현실에 당신의 비전을 맞출 수 있도록 준비되어야 한다. 예를 들어, 한 사업가의 낙관적인 예측은 그가 예견할 수 없었던 방식으로 공격적인 경쟁에 의해 날아갈 수 있다. 이런 상황에서, 그가 새로운 데이터에 직면했을 때 그의 기존의 비전을 고수하는 것은 어리석은 일이 될 것이다. 오히려 필요할 때, 그는 반드시 그의 비전을 수정하거나 심지어 그것을 버려야 할 것이다.
해설 (A) '~해야 한다'의 의미가 되어야 하므로 「should+동사원형」
(B) '과거에 ~하지 못했다'의 의미가 되어야 하므로 could not have p.p.
(C) '~일 것이다'의 의미가 되어야 하므로 「will+동사원형」

GRAMMAR POINT 03

to부정사

어법 확인 p. 19

A

1 to start 2 of her 3 To tell
4 to perceive 5 have been 6 to blame

B

1 too 2 for 3 how
4 enough 5 seem 6 order

C

1 ⓒ → to be
2 ⓒ → so as to get
3 ⓓ → to be distributed

A

해석

1 그 회의의 결론은 새로운 프로젝트를 시작하는 것이었다.
2 그런 실수를 하다니 그녀가 어리석었다.
3 사실대로 말하면 나는 어떤 다른 것도 기대하지 않았다.
4 사람들이 빨간색을 인식하게 하는 유전자가 있다.
5 그는 홍콩에서 태어났다고 한다.
6 아무도 그들이 비난받아야 한다고 생각하지 않는다.

해설

1 be동사의 보어로 쓰이는 to부정사
2 to부정사의 의미상 주어 자리이며 형용사가 사람에 대한 주관적 평가를 나타내므로 「of+목적격」
3 문장 전체를 수식하는 독립부정사
4 allow+목적어+목적격 보어(to부정사): (목적어가) ~하게 하다
5 to부정사가 주절보다 먼저 일어난 일이므로 완료부정사 to have p.p.
6 의무를 표현하는 「be+to부정사」

B

해석

1 당신은 배우기에 전혀 늦지 않았다. (배우기에 너무 늦은 때는 없다.)
2 그가 이길 수 있는 가장 쉬운 방법은 그의 짝과 연습하는 것이었다.
3 사람들은 자연과 조화를 이루며 사는 법을 배워야 한다.
4 당신의 시력은 안경을 써야 할 만큼 나쁘지 않다.
5 그 노래의 가사가 내 마음을 표현하는 것 같다.
6 Sam은 이 선생님에게 사과하기 위해 이곳에 왔다.

해설

1 too ~ to부정사: 너무 ~해서 …할 수 없다
2 to부정사의 의미상 주어는 「for+목적격」
3 how+to부정사: ~하는 방법
4 enough+to부정사: ~하기에 충분히 …한
5 seem+to부정사: ~처럼 보이다
6 in order+to부정사: ~하기 위해서

C

해석

1 그는 지금 바빠 보인다.
2 나는 마지막 전철을 타기 위해 빨리 달렸다.
3 그 재단은 여분의 음식이 이웃들에게 배급되도록 했다.

해설

1 ⓒ 현재 부사 now가 있으므로 문장과 같은 시제를 나타내는 단순부정사
2 ⓒ so as+to부정사: ~하기 위해
3 ⓓ 여분의 음식이 배급되는 것이므로 to부정사의 수동태

어휘 foundation 재단 distribute 배급하다

서술형 연습 p. 20

기출 예제 해석

인간들은 도덕성을 가지고 있고 동물들은 그렇지 않다는 믿음은 너무나 오래된 가정이라서 그것은 습관적 사고라고 잘 불릴 수 있다. 이 가정은 많은 사람들이 현재 상태를 고수하도록 만들기에 충분히 강력하다.

어휘 longstanding 오래 지속되는 assumption 가정
cling to ~을 고수하다 status quo 현재 상황

대표 유형 연습 + 빈출 유형 연습

1 the front yard was so high that I couldn't(could not) mow it
2 they are able to compare them and make purchases (in order / so as) to get what they desire
3 (1) There was no need for him to attend the conference.
(2) It was very kind of her to give me a ride.
4 seemed that everything was against him
5 he had so little confidence in his ability to write
6 ⓒ → how to respond to life
ⓓ → Decide today to end all the excuses

1 해석 한번은 아빠가 내게 잔디를 깎으라고 말했고 나는 앞뜰만 하기로 하고 뒤뜰을 하는 것은 미루기로 결심했지만, 그 다음에 며칠 동안 비가 내렸고 뒤뜰의 잔디가 매우 길게 자라서 나는 그것을 낫으로 베어내야 했다. 그 일은 매우 오래 걸려서 내가 끝냈을 때쯤에는 앞뜰의 잔디가 깎기에 너무 길었고, 그런 일이 계속되었다.
해설 too ~ to부정사 = so ~ that+주어+cannot+동사원형: 너무 ~해서 …할 수 없다

2 해석 광고는 사람들이 그들에게 최적의 상품을 찾을 수 있도록 도와준다. 그들은 전체 범위의 상품들을 알게 되었을 때, 힘들게 번 돈으로 그들이 원하는 것을 얻기 위해 상품들을 비교하고 구매할 수 있다. 그래서 광고는 모든 사람들의 일상생활에서 필수적인 것이 되었다.

해설 so that+주어+동사 = in order+to부정사 = so as+to부정사 = to부정사: ~하기 위해서

3 해설 (1) 의미상 주어(「for+목적격」)+to부정사
(2) 주관적 평가를 나타내는 형용사가 있을 때 to부정사의 의미상 주어는 「of+목적격」, 「가주어 it+be동사+형용사+to부정사의 의미상 주어+to부정사」 어순

[4~5] 해석 19세기 초 런던에서 Charles Dickens라는 이름의 한 젊은이는 작가가 되고자 하는 강한 열망을 가지고 있었다. 하지만 모든 것이 그에게 불리해 보였다. 그는 한 번도 4년 이상 학교에 다닐 수 없었다. 그의 아버지는 빚을 갚지 못해 감옥에 수감되어 있었으며, 이 젊은이는 종종 배고픔의 고통을 알았다. 게다가 그는 글을 쓰는 자신의 능력에 대한 자신감이 너무 부족하여 아무도 자신을 비웃을 수 없도록 자신의 작품을 편집자에게 밤에 몰래 보냈다.

4 해설 seemed+to부정사 = It seemed that+주어+동사: ~인 것처럼 보였다
to부정사가 단순부정사이므로 시제는 문장과 같이 과거 시제로 씀.

5 해설 글의 시제가 과거이므로 동사 have를 과거형 had로 바꾸고 「so+형용사 little+명사 confidence+in ~」의 어순으로 씀. to write는 his ability를 수식하게 씀.

6 해석 만약 당신의 사회적 이미지가 아주 안 좋다면, 내면을 들여다 보고 그것을 개선하기 위해 '오늘' 필요한 조치를 취하라. 당신은 삶에 대응하는 방법을 선택할 능력을 가지고 있다. 오늘 모든 변명을 끝낼 것을 결심하고, 일어나고 있는 것에 대해서 스스로에게 거짓말하는 것을 그만두어라. 성장의 시작은 자신이 선택에 당신이 스스로 책임을 받아들이기 시작할 때 일어난다.
해설 ⓒ how+to부정사: ~하는 방법
ⓓ 명령문의 실제 주어 You가 to부정사의 주체이므로 to부정사 능동태

내신 대비 문제 p. 22

1 ③ 2 ⑤ 3 ③ 4 ③ 5 ② 6 ① 7 ⑤
8 (1) worked hard so as to enjoy his old age
(2) is too difficult for a middle school student to read
9 She promised to skip the meeting and (to) attend the musical
10 Victoria believe in herself enough to show off her talents
11 ⓒ → barely enough to survive
12 so as for your internal battery to have more energy

1 해석 그가 가상 현실에 머무르기보다 현실을 직면하는 것이 더 중요하다.
해설 ③ to부정사의 의미상 주어는 「for+목적격」 형태이며, 「의미상 주어+to부정사」의 어순
어휘 virtual reality 가상 현실

2 해석 여러분의 상사가 여러분에게 여러분이 계발시킬 필요가 있는 기술에 대해 말하거나 그 특정한 기술에 대해 여러분이 훈련받을 기회를 열어 준다고 상상해 보아라.
해설 ⑤ to부정사의 의미상 주어 you가 훈련을 받는 것이므로 to부정사 수동태

3 해석 ① 엄마가 아빠와 결혼하려고 결심했을 때 그녀의 아버지는 아빠를 마음에 들어 하지 않으셨다.
② 빚 없이 사는 것이 현명하다.
③ 세상은 살기에 더 행복한 곳이 될 것이다.
④ 그는 그의 친구들이 그의 집에 오는 것을 허락했다.
⑤ 그의 관대한 제안을 받아들이지 않다니 너는 어리석다.
해설 ③ 형용사적 용법 (명사 수식)
① 명사적 용법 (목적어)
②, ⑤ 명사적 용법 (진주어)
④ 명사적 용법 (목적격 보어)

4 해석 땀을 흘리는 것을 피하고 쾌적한 상태를 유지하기 위해 체온을 조절하려면 겹겹이 입어서 추운 환경에 대처하는 것이 최선이다.
해설 ③ 목적을 나타내는 부사적 용법의 to부정사가 되어야 함. avoid → to avoid
어휘 adjust 적응하다

5 해석 음식이 풍부한 새로운 환경과 타고난 과식 습관을 변화시킬 필요와 관련하여 당신의 몸과 대화하는 것은 당신의 책임이다.
해설 ② 진주어가 되어야 하므로 to부정사로 바꿔야 함. communicating → to communicate

6 해석 그가 주인공의 모든 대사를 알았던 것으로 보아 그는 이 영화를 예전에 봤던 것 같다.
해설 ① 서술하고 있는 시점보다 이전에 일어난 일을 to부정사로 표현하는 것이므로 완료부정사 to have watched

7 해석 ① 나는 그 신문 기사를 읽고서 놀랐다.
② 혼자 회의를 준비하는 것은 그녀에게 너무 힘들었다.
③ 그는 축구팀을 효율적으로 이끄는 방법을 안다.
④ 외딴 장소를 혼자 방문하는 것은 위험할 수 있다.
⑤ 그 불은 벼락에 의해 시작된 것 같다.
해설 ⑤ 불이 과거에 시작된 것이므로 완료부정사의 수동태가 되어야 함. to be started → to have been started

8 해설 (1) so as to부정사: ~하기 위해서
(2) too+형용사/부사+for+목적격+to부정사: ~가 …하기에 너무 ~하다

[9~10] 해석 Victoria의 학교에서 해마다 열리는 교내 뮤지컬이 몇 달 후에 열릴 것이었다. Victoria의 엄마는 그날 중요한 회의가 있었다. 그녀는 Victoria가 주연을 차지한다면 자신이 회의를 빠지고 뮤지컬에 참석하겠다고 약속했다. 그녀는 자기가 Victoria를 믿고 있다는 것을 Victoria가 알기를 원했다. 그녀는 또한 Victoria가 자신의 재능을 뽐낼 만큼 충분히 스스로를 믿는 모습을 보고 싶었다.
어휘 land 차지하다 leading role 주연 show off 뽐내다

9 해설 promised의 목적어절의 주어가 주절의 주어와 같고 동사의 시제가 같으므로 단순부정사 to skip ~ (to) attend를 사용하여 단문으로 전환

10 해설 엄마는 Victoria가 자신의 재능을 뽐낼 만큼 충분히 스스로를 믿는 모습을 보고 싶었다는 내용이므로, 주어 Victoria 다음에 동사구 believe in이 나오고 in의 목적어 herself와 「enough+to부정사」의 어순이 이어져야 함.

11 **해석** 패스트 패션 품목은 금전 등록기에서 많은 비용이 들지 않을지도 모르지만, 심각한 대가가 딸려 있다. 즉, 개발 도상국에서 수천만 명의 사람들이, 일부는 단지 아이들일 뿐인데, 그것들을 만들기 위해 위험한 환경, 흔히 노동력 착취 작업장이라 불리는 종류의 공장에서 긴 시간 동안 일한다. 대부분의 의류 공장 노동자들은 간신히 생존하기에 충분할 정도로 급여를 받는다.

해설 ⓒ '~하기에 충분히 …한'이라는 의미를 나타내는 「형용사/부사+enough+to부정사」 구문이 되어야 하므로 부사 barely가 enough 앞으로 와야 함.

12 **해석** 우리의 뇌는 우리 에너지의 겨우 20퍼센트만을 소비하므로 많은 에너지를 소비하는 걷기와 운동으로 사고 활동을 보충하는 것이 반드시 필요하고, 그러면 여러분의 내부 배터리는 내일 더 많은 에너지를 가지게 된다. 여러분의 몸은 여러분이 생각하는 데, 움직이는 데, 운동하는 데 필요한 만큼 많은 에너지를 저장한다. 여러분이 오늘 더 활동적일수록, 오늘 더 많은 에너지를 소비하고, 그러면 내일 소모할 더 많은 에너지를 가지게 될 것이다. 신체 활동은 여러분에게 더 많은 에너지를 주고 여러분이 지치는 것을 막아 준다.

➡ 여러분이 내일 많은 에너지를 갖기를 원한다면, 여러분의 내부 배터리가 내일 더 많은 에너지를 가질 수 있도록 오늘 많은 에너지를 소비할 필요가 있다.

해설 몸의 내부 배터리가 내일 더 많은 에너지를 가질 수 있도록 에너지를 더 많이 써야 한다는 요약문을 완성해야 하므로 본문의 so that your ~ tomorrow에 해당하는 내용과 so, as를 활용하여 「so as+to부정사」를 to부정사의 의미상 주어(여러분의 내부 배터리) 「for+목적격」 형태와 함께 써야 함. 필요한 동사는 have이며 to부정사 형태가 되어야 함.

어휘 consume 소비하다 supplement 보충하다 internal 내부의 store 저장하다

GRAMMAR POINT 04 동명사

어법 확인 p. 25

A

1 Teaching 2 having 3 challenging
4 having 5 my, me 6 seeing

B

1 (in) playing 2 working 3 offering
4 to book 5 hunting 6 running

C

1 ⓐ → Getting(To get)
2 ⓓ → to seeing you
3 ⓒ → being scolded
4 ⓑ → not working

A

해석

1 가르치는 것은 도전적이지만 보람 있는 일이다.
2 나는 아름다운 경치를 보면서 차 한 잔 마시는 것을 매우 즐긴다.
3 우리가 실패할 수 있을지라도, 그것은 도전할 만한 가치가 있다.
4 대형 백화점이 생기는 것에 대해 어떻게 생각하니?
5 당신이 무엇을 찾고 계신지 여쭤보면 실례일까요?
6 그녀를 보자마자 그는 울기 시작했다.

해설

1 주어 역할의 동명사
어휘 challenging 도전적인 rewarding 보람 있는
2 enjoy는 목적어로 동명사를 취하는 동사
3 be worth+동명사: ~할 만한 가치가 있다
(= be worth while+to부정사)
4 전치사 about의 목적어인 동명사
5 동명사의 의미상 주어는 소유격이나 목적격
6 on+동명사: ~하자마자

B

해석

1 너는 컴퓨터 게임을 하면서 보내는 시간을 줄여야 한다.
2 작업자들은 야간에 일하는 것에 반대했다.
3 우리는 그녀의 결정에 반대 의견을 내놓지 않을 수 없다.
4 그 쇼는 인기가 있으므로 가능한 한 빨리 표를 예매할 것을 기억해라.
5 비오는 날에는 비가 그의 시선을 흐리게 하므로 그는 비오는 날에 사냥하는 것을 피했다.
6 나는 달리고 싶은 기분이 들었지만 마땅한 장소를 찾을 수 없었다.

해설

1 spend+시간/돈 (+in)+동명사: ~에 시간/돈을 쓰다
2 object to+동명사: ~에 반대하다
3 cannot help+동명사: ~하지 않을 수 없다, ~할 수 밖에 없다
어휘 opposition 반대

4 remember+to부정사: (미래에) ~할 것을 기억하다
cf. remember+동명사: (과거에) ~했던 것을 기억하다
5 avoid는 목적어로 동명사를 취하는 동사
어휘 blur 흐리게 하다, 가리다
6 feel like+동명사: ~하고 싶다

C

해석

1 질문하는 습관을 갖는 것은 여러분을 적극적으로 듣는 사람으로 만든다.
2 학교에 있는 저희 모두는 개교 50주년 행사에서 귀하를 만나기를 고대합니다.
3 내 여동생은 채소를 먹지 않아서 혼나는 것에 대해 지겨워한다.
4 나는 내가 젊었을 때 일을 열심히 하지 않았던 것을 후회한다.

해설

1 ⓐ 주어가 와야 할 자리이므로 동명사 또는 to부정사로 수정
2 ⓓ look forward to+동명사: ~하기를 고대하다
3 ⓒ 내 여동생이 혼나는 것이므로 동명사의 수동태 표현 필요하고 혼나는 것이 현재의 습관적인 상황으로 문장의 시제와 일치하므로 단순 동명사 being, 따라서 being+p.p.
4 ⓑ 과거의 사실에 대한 후회를 나타낼 때는 regret의 목적어로 동명사를 씀.

서술형 연습

p. 26

기출 예제 **해석**

2016 Pew Research Center 조사에 따르면, 23퍼센트의 사람들이 한 인기 있는 사회 관계망 사이트에서 우연으로든 의도적으로든 가짜 뉴스의 내용을 공유한 적이 있다고 인정한다. 나는 이것을 의도적으로 무지한 사람들의 탓으로 돌리고 싶은 마음이 든다. 의심이 들 때, 우리는 내용을 스스로 교차 확인할 필요가 있다.

대표 유형 연습 + 빈출 유형 연습

1 Your proposed policy of closing libraries on Mondays
2 having been helped by an unfamiliar rat
3 Carrying the same product in a black shopping bag
4 stop hanging out with friends
5 (1) On leaving home
(2) object to his(him) going
6 (1) It is no use(good) crying in front of him.
(2) People cannot help admiring his honesty.

1 **해석** 비용 절감 방안으로 월요일마다 도서관을 휴관하는 귀하가 제안한 정책은 이 아이들에게 해로울 수 있습니다. 저는 비용을 절감할 다른 방법들이 있다는 것을 확신합니다. 저는 귀하와 다른 시 의회 의원들이 그 계획을 취소하고 도서관을 계속 열 것을 촉구합니다!
해설 전치사 of는 목적어로 명사나 동명사를 취함. close → closing

2 **해석** 2007년 후반에 과학 매체는 Claudia Rutte와 Michael Taborsky가 '일반화된 호혜성'이라고 부르는 것을 쥐들이 보여 준다고 시사하는 연구를 널리 보도했다. 그들(쥐들) 각각이 낯선 쥐에 의해 도움을 받았던 자신의 이전 경험에 근거하여 낯설고 무관한 개체에게 도움을 제공했다. Rutte와 Taborsky는 쥐들에게 파트너를 위한 음식을 얻기 위해 막대기를 잡아당기는 협동적 과업을 훈련시켰다. 이전에 모르는 파트너에게 도움을 받은 적이 있는 쥐는 다른 쥐들을 돕는 경향이 더 높았다.
해설 밑줄 친 부분은 맥락상 '낯선 쥐에 의해 도움을 받았던'의 의미가 되어야 함. 쥐들이 낯선 쥐에게서 도움을 받은 것은 도움을 제공한 것보다 이전의 일이므로 완료 동명사 필요. 문장의 주어이자 동명사의 의미상의 주어인 rats가 an unfamiliar rat에 의해 도움을 받아야 하므로 수동형 필요. 따라서 helping을 완료 동명사 수동태 having been helped로 바꿔야 함.

3 **해석** 사실, 검은색은 흰색보다 두 배 무겁게 인식된다. 같은 상품을 검은색 쇼핑백에 담아 드는 것이 흰색 쇼핑백에 비하여 더 무겁게 느껴진다. 따라서 넥타이와 액세서리 같이 작지만 값비싼 상품들은 종종 어두운 색의 쇼핑백 또는 케이스에 담겨 판매된다.
해설 문장의 본동사 feels가 있으므로 주어 역할을 할 수 있는 동명사 Carrying을 쓰고 Carrying 뒤에 목적어 the same product, 부사구 in a black shopping bag을 씀.

4 **해석** 여러분은 여러분의 삶을 어떻게 만들어 가고 싶은지 자유롭게 선택할 수 있다. 그것은 '자유 의지'라고 불리고 그것은 여러분의 기본적인 권리이다. 게다가 여러분은 그것을 즉시 실행시킬 수도 있다! 언제든지 여러분은 자신을 더 존중하기 시작하거나 혹은 여러분을 힘들게 하는 친구들과 어울리는 것을 멈추기로 선택할 수 있다. 결국 여러분은 행복해지거나 비참해지기로 선택한다.
해설 stop은 목적어로 동명사를 취하는 동사이므로 hang을 hanging으로 바꿈. hanging out with 뒤에 who ~ down절의 선행사 friends 씀.
cf. stop+to부정사 (부사적 용법): ~하기 위해 멈추다

5 **해설** (1) on+동명사: ~하자마자 (= As soon as+주어+동사)
(2) object to+동명사: ~하는 것에 반대하다
주어와 동명사의 의미상 주어가 달라 동명사 앞에 의미상 주어를 명시. 의미상 주어는 소유격이나 목적격으로 씀.

6 **해석** (1) 그 앞에서 울어 봐야 소용없다.
(2) 사람들은 그의 정직함에 감탄하지 않을 수 없다.
해설 (1) It is useless+to부정사 = It is no use(good)+동명사: ~해도 소용없다
(2) cannot (help) but+동사원형 = cannot help+동명사: ~하지 않을 수 없다

내신 대비 문제

p. 28

1 ①, ③ 2 ③ 3 ④ 4 ② 5 ④ 6 ④
7 (A) losing / to lose (B) keeping
(C) checking / having checked (D) to call
8 her being awarded the Nobel Prize in Chemistry
9 highly sensitive to subtle cues of being watched

1 해석 그는 낮에 문을 열어 두었다고 심하게 혼났다.
해설 ① 혼나는 것과 문을 열어두는 것이 일상적이어서 같은 시제를 나타낼 때 단순 동명사 능동태
③ 혼나는 것보다 문을 열어 둔 것이 먼저 일어난 일이고 주어인 He가 동명사의 의미상 주어이므로 완료 동명사 능동태

2 해석 ① 저희는 당신의 답장을 받기를 기대합니다.
② 비록 실패하더라도 시도할 가치가 있다.
③ 우리는 그의 제안에 동의하지 않을 수 없다.
④ 제가 이 책을 다 읽고 저녁을 먹어도 될까요?
⑤ 일을 마치면 문 잠그는 것을 기억해.
해설 ① 「look forward to+동명사」 receive → receiving
② 「be worth+동명사」 to attempt → attempting
④ finish는 목적어로 동명사를 취하는 동사 to read → reading
⑤ 일이 끝난 다음에 할 일을 기억하는 것이므로 목적어로 to부정사가 와야 함. locking → to lock
cf. remember+동명사: (과거에) ~했던 것을 기억하다

3 해석 ⓐ 저희는 모든 물품을 48시간 내에 배송할 것을 약속합니다.
ⓑ 구호단체들은 정부와 일하기를 거부했다.
ⓒ 나는 그 나라를 언젠가 방문하고 싶다.
ⓓ 나는 그의 무례함에 실망하고 싶지 않다.
ⓔ 당신은 과식하는 것을 피하는 것이 좋다.
ⓕ 한 여행자가 휴식을 취하려고 나무 밑에 멈춰 섰다.
해설 ⓐ promise는 목적어로 to부정사를 취하는 동사 delivering → to deliver
ⓑ deny는 목적어로 동명사를 취하는 동사 to work → working
ⓔ avoid는 목적어로 동명사를 취하는 동사 to eat → eating
어휘 aid group 구호 단체 rudeness 무례함

4 해석 제 이름은 Susan Harris이며 Lockwood 고등학교 학생들을 대신하여 씁니다. 여러분은 4월 16일에 학교 강당에서 열릴 특별 발표회에 참석하도록 초대되셨습니다. 발표회에서 학생들은 우리 지역에 있는 청년들의 고용 기회를 만들어 내기 위한 다양한 의견을 제안할 것입니다.
해설 (A) 「invite+목적어+to부정사」 구문을 수동태로 쓴 것이므로 to부정사 to attend
(B) 전치사 for의 목적어이므로 동명사 developing
어휘 on behalf of ~을 대표하여 auditorium 강당 propose 제안하다

5 해석 만약 여러분이 고객의 손을 잡고 그들이 구매를 고려하도록 하고 싶은 모든 훌륭한 제품들을 가리키면서 여러분의 상점을 여기저기로 각각의 고객에게 안내할 수 있다면 좋지 않을까? 그러나 대부분의 사람들은 낯선 사람이 그들의 손을 잡고 상점 여기저기로 끌고 다니도록 하는 것을 딱히 즐기지 않을 것이다. 차라리 여러분을 위해 상점이 그것을 하게 하라. 고객들을 상점 여기저기로 이끄는 중앙 통로를 만드는 것이 도움이 된다. 그것은 고객들이 많은 다른 상품 공간을 볼 수 있게 한다. 이 길은 여러분의 고객들을 그들이 걸었으면 하고 여러분이 바라는 경로로 상점 여기저기를 통해 입구에서부터 계산대까지 내내 이끈다.
해설 ④ 문장의 본동사 is가 있으므로 주어 역할을 할 수 있는 동명사가 되어야 함. Have → Having
어휘 grab 잡다 drag 끌다 path 통로

6 해석 ① 나랑 산책 가는 게 어떠니?
② 옷을 주문할 때 치수를 명시하지 않은 것을 후회한다.
③ 나는 오늘 정말 수학을 공부하고 싶지 않다.
④ 그 영화를 봤을 때 우리는 눈물을 흘리지 않을 수 없었다.
⑤ 나는 도착하자마자 저녁 외식을 하기 위해 준비해야 했다.
해설 ④ 「cannot help -ing」는 '~하지 않을 수 없다'라는 의미로 「cannot(help) but+동사원형」으로 바꿔 쓸 수 있음. to shed → shed

7 해석 몇 분 되지 않아 비행기가 심하게 흔들리고 나는 아무것도 통제할 수 없다는 것을 느끼며 몸이 굳는다. 왼쪽 엔진은 동력을 잃기 시작하고 오른쪽 엔진은 이제 거의 멈췄다. 비가 조종석 창에 부딪히고 나는 더 악화되는 기상 속으로 들어간다. 나는 풍속에 보조를 맞추는 것이 어렵다. 나는 이륙하기 전에 엔진을 더 철저히 점검하지 않았던 것을 후회한다. 비상 상황을 보고하기 위해 센터에 전화하려고 마이크에 손을 뻗을 때, 나의 떨리는 손이 우연히 기화기 열 레버를 툭 친다.
해설 (A) start는 목적어로 동명사와 to부정사를 모두 취함.
(B) have trouble (in)+동명사: ~하는 데에 어려움을 겪다
(C) regret은 과거 사실에 대한 후회를 나타낼 때 동명사를 쓰므로 checking / 후회하는 시점보다 엔진을 점검하지 않았던 것이 더 이전 시점이라는 것을 나타내려면 완료 동명사 having checked
(D) 문맥상 '센터에 전화하기 위해서'라는 의미가 되어야 하므로 to부정사의 부사적 용법
어휘 freeze 꼼짝 못하게 되다, 얼다 nearly 거의 declare 선포하다 shaky 떨리는 bump 부딪치다

8 해석 1949년에 Dorothy Hodgkin은 동료들과 함께 페니실린의 구조에 관해 연구했다. 비타민 B12에 관한 그녀의 연구는 1954년에 출판되었고, 그것은 그녀가 노벨 화학상을 받게 되는 것으로 이어졌다.
해설 award는 '수여하다'라는 뜻으로 의미상 수동태가 되어야 함. 따라서 awarding을 동명사 수동태 being awarded로 바꿔야 함.

9 해석 사람들이 커피 값을 기부하는 양심 상자 가까이에, 영국 뉴캐슬 대학의 연구자들은 사람의 눈 이미지와 꽃 이미지를 번갈아 가며 놓아두었다. 각각의 이미지는 일주일씩 놓여 있었다. 꽃 이미지가 놓여 있던 주들보다 눈 이미지가 놓여 있던 모든 주에 사람들이 더 많은 기부를 했다. 연구가 이루어진 10주 동안, '눈 주간'의 기부금이 '꽃 주간'의 기부금보다 거의 세 배나 많았다. 이 실험은 '발달된 협력 심리가 누군가가 지켜보고 있다는 미묘한 신호에 아주 민감하다.'는 것과 그 결과가 사회적으로 이익이 되는 성과를 내게끔 어떻게 효과적으로 넌지시 권할 것인가를 암시한다고 말했다.
해설 동사 is의 보어가 되는 highly sensitive를 먼저 쓰고, '미묘한 신호에'의 의미가 되도록 to subtle cues를 쓴 뒤, '~라는'에 해당하는 전치사 of를 씀. of의 목적어는 동명사가 되어야 하며, '(다른 사람이) 지켜보다'라는 의미가 되어야 하므로 수동태 being watched로 바꿔 써야 함.
어휘 contribution 기부(금) alternately 번갈아 display 전시하다 evolved 발달하다 psychology 심리 subtle 미묘한 cooperation 협력 implication 암시 nudge 넌지시 권하기

GRAMMAR POINT 05

분사구문

어법 확인 p. 31

A

1 reading 2 Admitting 3 Bitten
4 Taking 5 Not knowing

B

1 좋아하는 영화를 볼 때
2 축구 경기 후에 지쳐서(지쳤기 때문에)
3 나무 그늘에 앉아 있지만
4 그의 컴퓨터에 코드를 타이핑하면서
5 오른쪽으로 돌면

C

1 When he 생략, heard → Hearing
2 as he 생략, shouted → shouting
3 Because I 생략, lost → Having lost
4 As she 생략, was raised → (Having been) Raised

A

해석

1 그는 소설을 읽으며 구석에 앉아 있었다.
2 결과를 인정할지라도 나는 너에게 동의할 수 없다.
3 우리는 모기에 물렸기 때문에 집에 머물지 않았던 것을 후회했다.
4 강가를 산책하다가, 나는 영어 선생님을 만났다.
5 그의 주소를 몰라서, 나는 그에게 전화를 했다.

해설

1 '~하면서'라는 의미가 되어야 하므로 분사가 필요하고, 주절의 주어이자 분사구문의 의미상 주어 He가 책을 읽는 주체이므로 현재분사
2 주어 I가 결과를 인정하는 주체이므로 현재분사
3 주어 we가 모기에 의해 물린 객체이므로 과거분사
|TIP| 현재분사는 능동/진행, 과거분사는 수동/완료의 의미
4 주어 I가 산책하는 주체이므로 현재분사
5 분사구문의 부정: 부정사(not, never)+분사
어휘 give a call 전화를 걸다

B

해석

1 좋아하는 영화를 볼 때, 그녀는 언제나 감자 칩을 먹는다.
2 축구 경기 후에 지쳐서(지쳤기 때문에), 남동생은 잠이 들었다.
3 나무 그늘에 앉아 있지만, 나는 여전히 덥다.
4 다른 작업자는 그의 컴퓨터에 코드를 타이핑하면서 열심히 일하고 있다.
5 오른쪽으로 돌면 당신은 영화관을 찾을 것이다.

해설

1 시간을 나타내는 분사구문
2 이유를 나타내는 분사구문
3 양보를 나타내는 분사구문
4 부대 상황(동시 동작)을 나타내는 분사구문
5 조건을 나타내는 분사구문

C

해석

1 이상한 소리를 들었을 때, 그는 겁에 질렸다.
2 한 남자가 무언가에 대해 소리치면서, 그 집에서 뛰쳐나왔다.
3 어제 휴대 전화를 잃어버려서, 나는 누구와도 연락할 수 없다.
4 그녀는 프랑스에서 자랐기 때문에 프랑스어를 유창하게 말한다.

해설

1 주절과 부사절의 주어가 같으므로 접속사와 주어 생략. 주절과 부사절의 시제가 같고 부사절이 능동문이므로 동사 heard는 현재분사 Hearing으로 바꿈.
2 주절과 부사절 주어가 A man과 he로 동일 인물이므로 접속사와 주어 생략. 부사절과 주절의 시제가 같으며 부사절이 능동문이므로 동사 shouted를 현재분사 shouting으로 바꿈.
3 주절과 부사절의 주어가 같으므로 접속사와 주어 생략. 부사절의 시제가 주절의 시제보다 앞선 능동문이므로 동사 lost는 완료분사 Having lost로 바꿈.
4 주절과 부사절의 주어가 같으므로 접속사와 주어 생략. 부사절의 시제가 주절의 시제보다 앞선 수동태이므로 완료분사 수동형 Having been raised로 바꿈. 이때 Having been은 생략 가능

서술형 연습 p. 32

기출 예제 해석

Shirley Chisholm는 브루클린 대학에 다니면서 사회학을 전공했다. 그녀는 1946년에 대학을 졸업했다. 그때 그녀는 교사로서의 경력을 시작했다. 그리고 나서 그녀는 계속해서 컬럼비아 대학에서 초등 교육 석사 학위를 취득했다.
어휘 master's degree 석사 (학위)

대표 유형 연습 + 빈출 유형 연습

1 (1) Toby returned home to Michigan, he tried to keep his promise to make a difference in the lives of the poor people
(2) Returning home to Michigan, Toby tried to keep his promise to make a difference in the lives of the poor people.
2 (1) Victoria tried out for school musicals many times, she never took one of the leading roles
(2) Trying out for school musicals many times, Victoria never took one of the leading roles.
3 (1) Located in a high place
(2) (Having been) Built hundreds of years ago
4 Not quite understanding his master
5 Educated by private tutors at home
6 and it(the novel) made her the first woman to win the award

1 **해석** Toby가 미시간에 있는 집으로 돌아왔을 때 그는 가난한 사람들의 삶에 변화를 가져다주기로 한 자신의 약속을 지키려고 노력했다.

해설 (1) 접속사 When을 쓰고 뒤 문장의 Then 삭제

(2) 주절과 부사절의 주어가 같으므로 부사절의 접속사와 주어 생략. 두 절의 시제가 같으므로 동사 returned를 현재분사 returning으로 바꾸고 주절의 대명사 주어 he를 Toby로 수정

2 **해석** Victoria는 학교 뮤지컬에 많이 도전했지만, 결코 주연 중의 하나를 맡지 못했다.

해설 (1) 접속사 Though를 쓰고 뒤 문장의 But 삭제

(2) 부사절과 주절의 주어가 같으므로 접속사와 주어 생략. 두 절의 시제가 같으므로 동사 try를 현재분사 trying으로 바꾸고 주절의 대명사 주어 she를 Victoria로 수정

3 **해석** (1) 높은 곳에 위치해 있어서, 그의 집은 경치가 좋다.

(2) 수백 년 전에 지어졌음에도 불구하고, 이 사원은 안전하다.

해설 (1) 주어가 '그의 집'으로 같으므로 생략하고 '~에 위치하다'는 be located in으로 표현하므로 수동 분사구문이 되어야 함. 이때 Being은 대개 생략하므로 Located가 문두에 오게 됨.

(2) 주어가 '그 사원'으로 같으므로 생략하고 '만들어 진' 것으로 수동 관계이고 주절보다 더 과거의 의미이므로 완료 분사구문의 수동형이 되어야 함. 이때 Having been은 생략 가능

4 **해석** 열 살짜리 한 소년이 지독한 자동차 사고로 왼쪽 팔을 잃은 사실에도 불구하고 유도를 배우기로 결심했다. 소년은 어느 나이 지긋한 유도 스승과 수업을 시작했다. 소년은 잘 해내고 있어서 3개월간의 훈련 뒤에도 스승이 한 가지 동작만을 그에게 가르치는 이유를 이해할 수 없었다. 비록 소년은 스승을 잘 이해할 수 없었지만 훈련을 계속했다.

해설 주절과 부사절의 주어가 같으므로 접속사와 주어 생략. 주절과 부사절의 시제가 같으므로 동사를 현재분사 understanding으로 수정. 부정어 Not을 분사 앞에 위치시킴. 부사 quite도 분사 앞에 둠.

[5~6] **해석** Edith Wharton은 1862년에 뉴욕시의 한 부유한 가정에서 태어났다. 그녀는 가정에서 개인 교사들에 의해 교육을 받았기 때문에 일찍이 독서와 글쓰기를 즐겼다. 그녀의 첫 번째 소설인 'The Valley of Decision'이 1902년에 출판된 후, 그녀는 많은 소설을 집필했고 몇몇은 그녀에게 폭넓은 독자층을 가져다주었다. 1차 세계 대전 후 그녀는 프랑스의 Provence에 정착했으며 그곳에서 'The Age of Innocence'의 집필을 마쳤다. 이 소설은 Wharton이 1921년 퓰리처상을 받을 수 있게 했으며, 그녀를 이 상을 받은 최초의 여성이 되게 했다.

5 **해설** 부사절과 주절의 주어와 시제가 같으므로 단순분사구문으로 바꿀 수 있음. 부사절의 주어와 접속사를 생략하고 동사 was를 현재분사 being으로 바꿈. being은 대개 생략하므로 Educated가 문두에 오게 됨.

6 **해설** 앞 절의 주어와 뒤 분사구문의 의미상 주어가 '이 소설'로 같고 앞 절과 뒤 절이 동시 상황이 되므로 뒤 절 앞에 접속사 and를 쓰고 분사 making을 앞 절의 시제에 일치시켜 made로 바꿈.

내신 대비 문제 p. 34

1 ③ 2 ④ 3 ④ 4 ③ 5 ② 6 ④

7 (1) ○ (2) × → Having tried the fruit

(3) × → Having drunk (4) × → Asked

8 (1) Having walked through the woods many times

(2) arriving at home after dark

(3) battling through every challenge in his path

(4) Not being able to stand the pain

9 (A) putting (B) triggering

1 **해석** 다음에 무엇을 말해야 할지 모른 채 Jessica는 멍하니 하늘을 올려다 보았다.

해설 전치사나 접속사 없이 문장을 이어 주고 있으므로 분사구문이 되어야 함. 주어가 know의 주체이고 두 문장이 동시 상황으로 시제가 같으므로 단순 분사구문 능동형을 써야 함. 부정어는 분사 앞에 씀.

2 **해석** 우주선에서 보면 지구는 작은 공처럼 보인다.

해설 주절의 주어 the Earth와 동사 see가 수동 관계이므로 분사구문이 되기 위해서는 Being seen이 되어야 함. 이때 Being은 생략 가능하므로 seen만 남게 됨.

3 **해석** ① 돈을 다 써 버려서, 나는 기념품을 더 살 수 없다.

② 너무나 많은 메시지를 받아서, 그녀는 그것들을 모두 답할 수 없었다.

③ 그에게 사랑받아서 그녀는 그녀가 원하던 모든 것을 가진 것처럼 느꼈다.

④ 특정 행동이 일어나기를 기다리면서 여러분 강아지의 행동만을 관찰해라.

⑤ Smith는 훌륭한 교수님에게 배워왔기 때문에 성공적으로 학위를 마쳤다.

해설 ④ '~하면서'라는 능동의 부대 상황(동시 상황)을 나타내는 분사구문이 와야 하므로 waited가 아니라 현재분사 waiting이 되어야 함.

4 **해석** Amy가 자신의 이름이 불리는 것을 들었을 때, 그녀는 자리에서 일어나 무대로 나갔다. Wilkinson 교수님이 다섯 명의 최우수 의대 졸업생 각각에게 금메달을 걸어 주고 있었다. 그는 Amy와 악수를 했고 그녀에게 그녀의 업적을 축하해 주었다. Amy는 자신의 학교에서 다섯 명의 최우수 의대 졸업생 중 한 명으로 거론되어 매우 기뻤다. 학문적 성과에 만족하며, Amy는 자신의 자리로 돌아왔다.

해설 (A) 주어 Amy가 이름이 불리는 것을 들은 주체이므로 능동 분사구문이 되어야 함.

(B) 타동사 satisfy는 be satisfied with로 쓰이므로 수동 분사구문이 되어야 하고 being은 생략됨. 따라서 satisfied만 남음.

어휘 pin 걸다 medical 의학의 accomplishment 업적 overwhelmingly 매우, 압도적으로 mention 거론하다

5 **해석** 기술이 이전보다 더 빠르게 진보하면서, 소비자들이 물을 더 절약하기 위해 자신의 가정에 설치할 수 있는 많은 장치들이 있다. 35개가 넘는 고효율 변기 모델이 오늘날 미국 시장에 있으며, 그것들 중 일부는 물을 내릴 때마다 1.3갤런 미만을 사용한다. 200달러에서 시작하기 때문에 이 변기들은 가격이 적당하고 일반 소비자가 일 년에 수백 갤런의 물을 절약하는 것을 도울 수 있다. 가장 효율이 높다고 공식적으로 승인된 기기들은

소비자가 알 수 있게 Energy Star 로고가 붙어 있다. 그런 등급의 세탁기들은 40갤런을 사용하는 구형 제품에 비해, 1회 세탁 시 18에서 25갤런의 물을 사용한다.

해설 ② 변기가 200달러 가격에서 시작하는 것이므로 능동 분사구문이 되어야 함. 일반적 사실을 기술하는 것이므로 분사구문과 주절의 시점이 같으므로 단순 분사구문 Starting으로 바꿔야 함.

어휘 install 설치하다 flush 배수; 물을 내리다
affordable 감당할 수 있는 appliance 기기 tag 꼬리표를 붙이다

6 해석 ① 내가 그의 방에 들어갔을 때, 나는 그가 자고 있는 것을 보았다.
② 이 책은 쉬운 영어로 쓰여 있어서, 초보자들에게 알맞다.
③ Jessie는 의자에 앉았고 노래를 부르기 시작했다.
④ Mary는 너무 아팠기 때문에 학교에 갈 수 없었다.
⑤ 나는 배가 고팠기 때문에 음식을 사러 밖으로 나갔다.
해설 ④ Mary가 아파서 학교에 가지 못한 것이 같은 시점이므로 단순 분사구문이 되어야 함. Having been → Being

7 해석 (1) 젊은 고객들에 의해 선호되기 때문에 그 제품은 매진되었다.
(2) 그 과일을 먹어보았기 때문에 그는 그것을 더 사는 것을 거절했다.
(3) 낮 동안 커피를 세 잔이나 마셨기 때문에, 그녀는 밤에 잠을 잘 수가 없었다.
(4) 왜 오지 않았는지 질문 받았을 때, 그녀는 답하지 못했다.
해설 (2) 그 과일을 먹어본 것은 주절보다 이전에 일어난 일을 나타내므로 완료 분사구문이 되어야 함.
(3) 주절보다 이전에 일어난 일을 나타내므로 완료 분사구문이 되어야 함.
(4) 주어가 ask의 객체이므로 수동 분사구문이 되어야 함. 이때 Being은 대개 생략하므로 Asked가 됨.

8 해석 (1) 그는 그 숲을 많이 걸어 봤기 때문에, 길을 따라 있는 모든 나무를 안다고 생각했다.
(2) 우리는 오는 길에 교통 체증으로 지체되어서, 어두워진 후에 집에 도착했다.
(3) 그 학생들은 그의 길에 있는 모든 어려움을 통과해 싸우며, 장애물들에 덤벼들기로 결정했다.
(4) 그는 통증을 참을 수 없었기 때문에 의사에게 갔다.
해설 (1) 부사절 시제가 주절 시제보다 앞서므로 완료 분사구문이 되어야 함.
(2) 부사절과 주절의 시제가 같으므로 단순 분사구문이 되어야 함.
(3) 부사절과 주절의 시제가 같고 부대 상황(연속 상황)을 나타내는 단순분사구문이 되어야 함.
(4) 부사절과 주절의 시제가 같으므로 단순 분사구문이 되어야 함. 분사구문을 부정할 때 부정어 not(never)를 분사 앞에 씀.

9 해석 여러분이 하이킹하는 도중에 뱀과 마주치면, 해가 있지 않더라도 불안함이 생기고 여러분이 경계 태세를 취할 가능성이 있다. 오솔길을 따라 더 가다가 여러분이 평소에 무시할지도 모르는 짙은 색의 가늘고 휘어진 나뭇가지를 땅 위에서 발견하면, 여러분은 이번에는 순간 그것을 뱀으로 간주할 것이고, 두려움의 감정을 유발한다.
해설 (A) 동시 상황을 나타내는 분사구문이어야 하고 주어 anxiety와 put의 관계가 능동이므로 현재분사
(B) 동시 상황을 나타내는 분사구문이어야 하고 주어 you와 trigger의 관계가 능동이므로 현재분사
어휘 encounter 마주치다 arise 생기다
momentarily 순간적으로 trigger 유발하다

GRAMMAR POINT 06

주의해야 할 분사구문

어법 확인

p. 37

A
1 with 2 While 3 coming
4 sleeping 5 closed

B
1 night coming 2 being over
3 The sea being calm 4 Judging from

C
1 ⓑ → permitting 2 ⓓ → turned
3 ⓒ → waiting 4 ⓑ → (being) considered

A

해석
1 그 젊은 여자는 다리를 꼰 채로 그곳에 앉아 있었다.
2 당신의 의견을 이해할지라도 그녀는 여전히 당신에게 동의하지 않는다.
3 비가 내리자 모든 등산객들이 집으로 돌아가기 시작했다.
4 그는 고양이가 자신의 발치에서 자는 채로 책을 읽고 있었다.
5 Julie는 눈을 감은 채로 라디오를 듣고 있었다.

해설
1 「with+목적어+분사」 '(목적어가) ~한 채로, 하면서'
2 의미를 명확히 하기 위해 양보 접속사 while을 남긴 분사구문
3 목적어인 비가 내리는 것으로 능동 관계이므로 현재분사
4 목적어인 고양이가 잠을 자는 것으로 능동 관계이므로 현재분사
5 목적어인 눈이 감긴 것으로 수동 관계이므로 과거분사

B

해석
1 밤이 오자 비가 내리기 시작했다.
2 저녁 식사가 끝났을 때 우리는 산책하러 나갔다.
3 바다가 잠잠했기 때문에 우리는 수영을 하기로 결정했다.
4 억양으로 판단해 볼 때 그는 외국인임에 틀림없다.

해설
1 동시 상황을 나타내는 「with+목적어+분사」 구문이며 목적어 night와 분사의 관계가 능동이므로 현재분사 사용

2 부사절과 주절의 주어가 달라서 분사구문의 의미상 주어를 써 준 경우로 동사를 현재분사로 바꿈.

3 부사절과 주절의 주어가 다르므로 분사구문의 의미상 주어 The sea를 쓰고 동사를 현재분사로 바꿈.

4 부사절의 주어가 일반인 주어여서 일반인 주어를 생략한 비인칭 독립분사구문으로 부사절의 동사를 현재분사로 바꿈.

C

해석

1 날씨가 허락한다면, 우리는 계획한 대로 떠날 것이다.
2 내 남동생은 텔레비전을 켜 둔 채로 소파에서 잠이 들었다.
3 Patrick은 친구들이 배고파하며 기다리는 동안 요리를 하고 있었다.
4 모든 것이 고려되었을 때, 이것이 최선의 방책이다.

해설

1 ⓑ 분사구문의 의미상 주어 Weather가 허락하는 것으로 능동 관계이므로 현재분사
2 ⓓ 텔레비전이 켜져 있는 것으로 수동 관계이므로 과거분사
3 ⓒ 친구들이 기다리는 것으로 능동 관계이므로 현재분사
4 ⓑ 주어 All things가 고려되는 것으로 수동 관계이므로 과거분사

서술형 연습 p. 38

기출 예제 해석

우리는 어떻게 우리 아이들이 광범위한 정보를 기억하도록 가르칠 수 있을까요? 제가 여러분에게 모든 사람은 반복에 의한 암기를 통해 많은 양의 정보를 저장하고, 관리하고, 기억하도록 설계된 두뇌를 갖고 있는 잠재적인 천재라는 것을 증명하겠습니다.

어휘 broad 광범위한 potential 잠재적인 repetition 반복

대표 유형 연습 + 빈출 유형 연습

1 with their arms raised over their heads
2 with your phone pressed to your ear
3 with the tiny travelers getting smaller and smaller
4 (1) With her arms folded
(2) It being fine tomorrow
5 (1) Considering his current condition
(2) There being no seat available in the bus
6 ⓐ → facing forward
7 When discussing how much they should eat

1 **해석** 어린 소년, 소녀들이 음악에 맞춰 춤추기 시작했다. 그들은 원 모양으로 서서 팔을 머리 위로 올린 채 손을 흔들며 춤췄다.
해설 「with+목적어+분사」 구문에서 목적어 arms와 raise가 수동 관계이므로 과거분사

2 **해석** 세탁을 하는 동안에는 세탁만 해라. 물이 세탁기를 채울 때에는 물의 소리를 듣고 손에 있는 세탁물을 느껴라. 그것은 당신의 귀에 전화기가 대어진 채로 행해질 때보다 시간을 조금도 더 많이 차지하지 않는다.
해설 「with+목적어+분사」 구문에서 목적어 your phone과 press가 수동 관계이므로 과거분사

3 **해석** 어떤 모래는 조개껍질이나 암초와 같은 것들로부터 바다에서 만들어지기도 하지만, 대부분의 모래는 멀리 산맥에서 온 암석의 작은 조각들로 이루어져 있다! 그런데 그 여정은 수천 년이 걸릴 수 있다. 빙하, 바람, 그리고 흐르는 물은 이 암석 조각들을 운반하는 데 도움이 되고, 작은 여행자들(암석 조각들)은 이동하면서 점점 더 작아진다.
해설 「with+목적어+분사」 구문에서 목적어 the tiny travelers와 get이 능동 관계이므로 현재분사

4 **해설** (1) 「with+목적어+분사」 구문이며 목적어와 분사의 관계가 수동이므로 과거분사
(2) 주절의 주어는 I, 부사절의 주어는 It이므로 주어를 명시해 줘야 하는 독립분사구문

5 **해석** (1) 그의 현재 상태를 고려하면 그는 곧 일어날 것이다.
(2) 버스에 이용할 수 있는 자리가 없어서, 나는 내내 서 있어야 했다.
해설 (1) 분사구문의 의미상 주어가 일반인 주어로 주절과 부사절의 주어가 서로 달라도 분사구문의 주어를 생략하는 비인칭 독립분사구문
(2) 주절의 주어와 부사절의 주어가 다른 독립분사구문

6 **해석** 포식자는 앞쪽을 향하고 있는 눈을 가지도록 진화하였고, 이것은 사냥감을 쫓을 때 정확한 거리 감각을 제공하는 양안시(兩眼視)를 허용한다. 반면에 피식자는 대체로 주변 시야를 최대화하는 바깥쪽을 향하는 눈을 가지고 있으며, 이것은 어떤 각도에서도 접근하고 있을지 모르는 위험을 사냥당하는 대상이 감지할 수 있게 한다.
* 양안시: 양쪽 눈의 망막에 맺힌 대상물을 각각이 아닌 하나로, 입체적으로 보게 하는 눈의 기능
해설 ⓐ 「with+목적어+분사」에서 목적어 eyes와 face가 능동 관계이므로 현재분사

7 **해석** 아이들에게 선택권을 주고 그들이 얼마나 많이 먹기를 원할지, 그들이 먹고 싶어 할지 또는 아닐지, 그리고 그들이 무엇을 먹고 싶은지에 대해 그들 스스로 결정하는 것을 허용하라. 여러분이 저녁 식사를 위해 만들려고 생각하고 있는 것에 대한 의사결정 과정에 그들을 포함하라. 저녁 식사 동안 그들이 얼마나 먹어야 하는지를 의논할 때, 그들에게 적당량의 음식을 차려 줘라.
해설 의미를 명확히 하기 위해 때를 나타내는 접속사 when을 남긴 분사구문

내신 대비 문제 p. 40

1 ④ 2 ③ 3 ③ 4 ③ 5 ② 6 ② 7 ②
8 (1) buying / having bought
(2) speaking (3) bandaged
9 when trying to make various decisions
10 When hiring new team members

1 **해석** ① 경찰관을 보았을 때, 그 남자는 가능한 한 빨리 달아났다.
② 시간이 없어서 나는 너를 도와줄 수 없다.
③ 나이를 고려해 볼 때, 나의 할머니는 매우 활동적이다.

④ 날씨가 좋아서, 내 친구와 나는 캠핑을 갈 수 있었다.
⑤ 프랑스 혁명에 관심이 있어서, 그는 프랑스로 유학 갔다.
해설 ④ 분사구문의 의미상 주어로 날씨를 나타내는 비인칭 주어 It 필요 → It being fine

2 해석 ① 집에 들어갔을 때, Julie에게 이상한 소리가 들렸다.
② 일반적으로 말해서 이것은 자주 쓰는 표현이 아니다.
③ 그녀는 눈을 내리깔고 아무 말도 하지 않았다.
④ 여기 와 본 적이 없어서, 나는 그의 집을 찾을 수가 없다.
⑤ 그는 눈을 감은 채로, 침대에 누워 있었다.
해설 ① 부사절의 주어(Julie)와 주절의 주어(a strange sound)가 다르므로 독립분사구문이 되어야 함. Entering → Julie entering
② 비인칭 독립분사구문으로 분사구문은 부사구이므로 접속사 삭제. and this → this
④ 전에 와 본 적이 없다는 것으로 주절보다 분사구문의 시제가 앞서므로 완료 분사구문이 되어야 함. being → having been
⑤ 눈이 감기는 것으로 수동 관계이므로 과거분사 closing → closed

3 해석 ① 다리를 꼬고 앉지 마라!
② 급하게 쓰였지만, 이 책은 오류가 거의 없다.
③ 사무실을 떠나기 전에 그는 사무실의 불을 껐다.
④ 무엇을 해야 할지 몰라서, 그는 내게 도움을 청하러 왔다.
⑤ 엄밀히 말하면, 그 책은 소설이 아니라 수필이다.
해설 ③ 분사구문의 의미를 명확하게 하기 위해 접속사를 생략하지 않은 분사구문, 사건의 전후 관계를 나타내기 위해 Before 필요
|TIP| ⑤ If we speak strictly를 비인칭 독립분사구문으로 바꿔 쓴 것

4 해석 Seedy Sunday는 2017년 이후로 매년 개최되고 있는 씨앗 교환 행사입니다. 올해 이 행사는 2019년 4월 5일(오전 11시 - 오후 4시), Amherst Avenue Community Hall에서 열립니다. 당신의 씨앗을 겉면에 씨앗의 이름이 쓰인 봉투에 담아 가지고 오세요.
해설 ③ 「with+목적어+분사」 구문이며 목적어인 their names와 수동 관계이어야 하므로 과거분사 written

5 해석 미국과 전 세계 대학 캠퍼스에서 몇몇 동물들이 도움이 필요한 학생들을 도와주고 있다. 많은 학생들이 우울감과 불안을 호소하여 학교 관계자들은 특히 시험 기간 동안에 사기를 북돋우고 스트레스에 대처할 수 있도록 애완동물 치료 행사를 마련한다.
해설 ② 「with+목적어+분사」 구문이며 목적어인 many students와 능동 관계이어야 하므로 현재분사

6 해석 사람들이 항상 그들의 행동으로 정의되는 것은 아니다. 어떤 사람에게서 덜 바람직한 행동을 관찰한 후 "그는 너무 으스대." 또는 "그녀는 아주 심술궂어."라고 생각하는 것은 흔한 일이다. 그러나 여러분은 즉시 그렇게 추측하지 않아야 한다.
해설 ② 부사절의 시간상 전후 관계를 나타내기 위해 접속사를 남긴 분사구문으로 분사구문의 의미상 주어는 일반인 주어. 일반인 주어가 observe와 능동 관계이므로 현재분사
|TIP| after observing은 「전치사+동명사」로 볼 수도 있음.

7 해석 ⓐ 내 성적에 만족하셔서, 엄마는 내게 새 백팩을 사 주셨다.
ⓑ 무엇을 해야 할지 몰라서 경찰을 불렀다.
ⓒ 날씨가 너무 더워서, 우리는 에어컨을 켰다.
ⓓ 그녀는 고개를 땅 쪽으로 향하고 서 있었다.
ⓔ 그의 목소리로 판단해 보건대, 그는 젊은 남자이다.
ⓕ 두 번 실패한 뒤에, 그는 또 시도하고 싶지 않았다.
해설 ⓑ 분사구문의 부정형은 부정어가 분사 앞에 위치함. Having not → Not knowing
ⓓ 고개가 향하는 것이므로 「with+목적어+현재분사」 faced → facing
ⓕ 완료 분사구문은 「Having p.p.」 형태임. After having failing → After having failed

8 해석 (1) 우진이가 고급스러운 펜을 사서 그의 친구는 매우 기뻤다.
(2) 솔직히 말해서 나는 너를 사랑해.
(3) 나는 눈에 붕대를 감고 있어서 잘 볼 수 없었다.
해설 (1) 주절과 부사절의 주어가 다른 독립분사구문이며 분사구문의 의미상 주어 Woojin이 buy와 능동 관계이므로 현재분사. 펜을 산 것이 선행 사건이므로 완료 분사구문으로 쓰일 수도 있음.
(2) 비인칭 독립분사구문 Frankly speaking: 솔직히 말하면
(3) 「with+목적어+분사」 구문이며 한쪽 눈에 붕대가 감긴 것으로 목적어와 분사가 수동 관계이므로 과거분사

9 해석 인터넷은 어떤 사안에 대해 너무 많은 무료 정보를 이용 가능하게 만들어서 우리는 어떤 결정을 하기 위해서 그 모든 정보를 고려해야 한다고 생각한다. 그래서 우리는 계속 인터넷에서 답을 찾는다. 이것이 우리가 다양한 결정을 하려고 애쓸 때, 전조등 불빛에 노출된 사슴처럼, 우리를 눈멀게 한다.
해설 의미를 명확히 하기 위해 접속사 when을 남긴 분사구문으로 try를 현재분사로 고친 다음 to make various decisions가 오는 형태

10 해석 우리 대부분은 사장이 생각하기에 중요한 어떤 전문적이고 개인적인 정보와 더불어 인적 자원 기준에 근거하여 많은 사람을 고용해 왔다. 나는 대부분의 사람이 자신과 똑 닮은 사람을 고용하고 싶어 한다는 것을 알게 되었다. 이것이 과거에는 효과가 있었을지도 모르지만, 오늘날에는 상호 연결된 팀의 업무 과정으로 인해 우리는 전원이 똑같은 사람이기를 원치 않는다. 팀 내에서 어떤 사람은 지도자일 필요가 있고, 어떤 사람은 실행가일 필요가 있으며, 어떤 사람은 창의적인 역량을 제공할 필요가 있고, 어떤 사람은 영감을 주는 사람일 필요가 있으며, 어떤 사람은 상상력을 제공할 필요가 있다는 것 등이다. 달리 말하자면, 우리는 구성원들이 서로를 보완해 주는 다양화된 팀을 찾고 있다.
글의 요지: 새로운 팀 구성원들을 고용할 때 우리는 그들이 어떻게 우리의 팀과 팀의 목적에 어울리는지 살펴볼 필요가 있다.
해설 • 글의 내용: 예전에는 새로운 팀 구성원을 고용할 때 자신과 닮은 사람을 고용하고 싶어 했지만, 지금은 서로를 보완해 주는 다양화된 팀원을 찾음.
• 빈칸에 들어갈 내용: 새로운 팀 구성원들을 고용할 때
• 주어진 단어에 동사가 없으므로 글에서 '고용하다'의 뜻을 가진 hire 찾기
• '고용하는' 것이므로 능동의 의미를 나타내는 현재분사 hiring
• 의미를 명확히 하기 위해 접속사 when 사용
어휘 hire 고용하다 human resources 인적 자원 criteria 기준 interconnected 상호 연결된 diversified 다양화된 complement 보완하다 fit into ~에 어울리다 objective 목적

상관 접속사 · 명사절 접속사

어법 확인 p. 43

A
1 × 2 ○ 3 × 4 ○ 5 ×

B
1 to make 2 disabled 3 were
4 whether 5 your phone will 6 whether

C
1 ⓓ → in 2 ⓐ → if / whether 3 ⓒ → agree

A

해석

1 나는 주변 경관과 멋진 눈이 둘 다 좋았다.
2 여러분은 기말 시험을 보거나 과제를 제출할 수 있습니다.
3 Julie도 너도 파티에 참석하는 것이 허락되지 않았다.
4 그녀는 나에게 나의 쿠키를 먹어도 되는지 물어보았다.
5 그 장비가 효율적인지는 개인의 취향 문제이다.

해설

1 「both A and B」 구문에서 A와 B는 병렬 구조이어야 하므로 형용사 snowy는 scenery와 같은 명사가 되어야 함. snowy → snow
2 「either A or B」 구문에서 A와 B는 병렬 구조이어야 하므로 각각 동사구 take ~ exam과 submit ~ assignment 사용
3 「neither A nor B」 구문에서는 B에 수 일치시키므로 you에 맞춰야 함. was allowed → were allowed
4 전달동사 ask의 피전달문에 해당하는 절을 이끌고 해석상 '~인지 (아닌지)'를 물어볼 수 있는 접속사는 if 또는 whether
5 Whether가 이끄는 명사절이 주어로 쓰이므로 간접의문문의 어순인 「의문사+주어+동사」 형태가 되어야 함. is the device → the device is

B

해석

1 우리는 기술을 거부하기 위해서가 아니라 그것을 안전하고 안심할 수 있게 만들기 위해 그 법을 만들었다.
2 네트워크 연결이 끊기거나 장애가 있다.
3 내 가방뿐만이 아니라 우리 사진들도 도난당했다.
4 어떤 사람이 내게 25달러가 적은 돈인지 큰 돈인지를 물었다.
5 당신의 전화가 태국에서 작동할지 점검하는 것을 잊지 마세요.
6 유인원들은 사람들이 문제를 풀기 위해 도움이 필요한지 필요하지 않은지 구분할 수 있다.

해설

1 「not A but B」 구문에서 A와 B는 병렬 구조이어야 하므로 to reject와 같은 to부정사
어휘 secure 안심하는
2 「either A or B」 구문에서 A와 B는 병렬 구조이어야 하므로 disconnected와 같은 과거분사 형태의 형용사
어휘 disconnected 단절된
3 「not only A but (also) B」 구문에서는 B에 수 일치시키므로 복수 명사 our pictures에 맞춰 복수 동사
4 전달동사 ask의 피전달문에 해당하는 절을 이끌고 해석상 '~인지 아닌지'를 물어볼 수 있는 접속사
5 if가 이끄는 명사절이 목적어로 쓰였을 때 「접속사+주어+동사」의 어순
6 if는 or not과 붙여 쓸 수 없음.
어휘 distinguish 구분하다

C

해석

1 그 기술은 사진뿐만 아니라 영화 제작에도 광범위하게 사용되어 왔다.
2 MacDonald는 나에게 누군가가 그와 거래를 하고 싶을지 물었다.
3 그녀는 Tom뿐만 아니라 다른 학생들도 모든 모둠원들이 그룹 모임을 가져야 한다는 그녀의 제안에 동의하는지를 궁금해 한다.

해설

1 ⓓ 「not only A but (also) B」 구문에서 A와 B는 병렬 구조이어야 하므로 in photography와 같은 형태가 되어야 함.
어휘 extensively 광범위하게
2 ⓐ 전달동사 ask의 피전달문에 해당하는 절을 이끌고 해석상 '~인지 (아닌지)'를 물어볼 수 있는 접속사 if 또는 whether
3 ⓒ 「not only A but (also) B」 구문에서는 B에 수를 일치시키므로 other students에 맞춰 복수 동사

서술형 연습 p. 44

기출 예제 해석

한 나이든 목수는 은퇴할 준비가 되어 있었다. 그는 그의 상사에게 그의 가족과 함께 더 여유로운 삶을 살기 위해 집 짓는 사업을 떠나겠다는 계획을 말했다. 그는 매주 월급을 아쉬워하겠지만, 은퇴하기를 원했다. 사장은 그녀의 훌륭한 직원이 은퇴하는 것을 보는 것이 유감이었다. 그리고 그녀는 그에게 "개인적인 부탁으로써 집 한 채만 더 지어줄 수 있나요?"라고 말했다.
어휘 carpenter 목수 leisurely 여유 있는 paycheck 월급

대표 유형 연습 + 빈출 유형 연습

1 I asked her if(whether) she worked with the airline
2 he asked them why they weren't wearing them
3 (1) Cooking food needs both a creative mind and artistic skills.
(2) he neither recognized her nor remembered her name
(3) Kevin gave him enough money not only for bus fare but (also) for a warm meal.
4 not, only, but, also
5 but when they are in a positive mood

1 해석 최근에 아시아로 가는 비행기에서, 나는 모든 승무원과 조종사에게서 따뜻하게 환영받던 Debbie를 만났다. 그녀에게 쏠리는 모든 관심에 놀라면서 나는 그녀에게 "항공사에서 일하세요?"라고 말했다. 그녀는 아니라고 말했지만, 이것이 그 항공사와 그녀의 100번째 비행이었기 때문에 그런 관심을 받을 만했다.
해설 피전달문이 의문사 없는 의문문이므로 전달동사 asked와 접속사 if나 whether 사용. 의문문의 you는 주절의 her를 가리키므로 she, 시제는 전달동사와 같아야 하므로 과거 시제

2 해석 그는 다른 접근법을 시도하기로 결심했다. 그 이후에 그가 안전모를 쓰지 않은 근로자 몇 명을 발견했을 때 그는 "왜 여러분은 안전모를 쓰지 않으세요?"라고 그들에게 말했다.
해설 피전달문이 의문사 why가 있는 의문문이므로 전달동사 asked를 쓰고 의문사 why를 접속사로 사용. 피전달문의 you는 주절의 them을 가리키므로 they, 부정문이고 시제는 전달동사와 같아야 하므로 과거 시제. 바꾼 문장에서 their hard hats가 겹치므로 why절에서 them으로 바꿈.

3 해설 (1) 'A와 B 둘 다'라는 의미의 상관 접속사는 「both A and B」 A, B는 병렬 구조로 명사구가 와야 함.
(2) 'A도 B도 아닌'이라는 의미의 상관 접속사는 「neither A nor B」 A, B는 병렬 구조로 동사구가 와야 함.
(3) 'A뿐만 아니라 B도 또한'이라는 의미의 상관 접속사는 「not only A but (also) B」이고, 이 구문에서 A, B는 병렬 구조로 둘 다 「for+명사」의 형태가 와야 함.

4 해석 어떤 사람들은 사회 과학이 자연 과학보다 뒤쳐지고 있다고 믿는다. 그들은 사회 과학자들이 그들에게 합리적으로 기대되어졌을지도 모르는 것을 성취하는데 실패했다고 주장한다. 그런 비평가들은 보통 사회 과학의 실제 본질을 알지 못한다. 예를 들어, 그들은 사회 문제에 대한 해결책은 지식을 요구하고, 그것은 또한 사람에게 영향을 끼치는 능력을 요구한다는 것을 잊는다.
Q. 단락에 따르면, '그런 비평가'들은 무엇을 잊는가?
A. 그들은 사회 문제에 대한 해결책이 지식뿐만 아니라 사람에게 영향을 끼치는 능력도 요구한다는 사실을 잊는다.
해설 마지막 문장에 사회 문제에 대한 해결책이 요구하는 두 가지 내용이 나오고 빈칸이 명사(구) 앞에 2개씩 있으므로 'A뿐만 아니라 B도 또한'이라는 의미를 나타내는 상관 접속사 「not only A but also B」

5 해석 진단을 내리기 전 긍정적인 기분이 된 의사는 중립적인 상태의 의사에 비해 거의 세 배 더 높은 사고력을 보이고, 19퍼센트 더 빠르게 정확한 진단을 내린다. 수학 시험을 보기 전 긍정적인 기분이 된 학생들은 그들의 중립적인 또래들보다 훨씬 더 잘한다.
➡ 우리의 두뇌는 그것들이 중립적인 상태일 때가 아니라 그것들이 긍정적인 기분일 때 최고로 기능하도록 프로그램화되어 있다.
해설 중립적인 상태보다 긍정적인 상태에서 더 훌륭한 성과를 낸다는 것이 글의 내용임. 요약문에 not when they are ~가 있으므로 「not A but B」 구문을 사용해야 하고 이 때 A, B는 병렬 구조를 이루어야 하므로 but 이하에 when절이 와야 함.

내신 대비 문제

p. 46

1 ⑤ **2** ②, ⑤ **3** ② **4** ② **5** ④ **6** ④, ⑤
7 (1) choose either pizza or hamburger
(2) not only improves workers' lives but also develops creativity
(3) not a member of debating club but a member of bowling club
8 (A) He asked what was wrong.
(B) He handed me his cell phone and asked if (whether) I could call my husband.
9 not on short-term losses but on long-term growth

1 해석 그의 약속들이 지켜질지 아닐지는 미심쩍다.
해설 ⑤ '~인지 아닌지'의 의미로 or not과 붙여 쓸 수 있는 접속사는 whether

2 해석 ① 당신의 성적이 매우 좋은 것은 놀라운 일이다.
② 나는 우리가 영양적으로 균형 잡힌 음식을 먹어야 한다는 그의 조언에 동의한다.
③ 나는 그녀가 계속해서 세계 여행을 할 에너지를 여전히 가지고 있는지 물었다.
④ 나는 두 그룹의 사람들에게 그들이 공원에서 쓰레기를 주우면서 오후를 보내본 적이 있는지 물었다.
⑤ 그들은 미국인 전자책 독자들이 전자책 독서를 위해 사용하는 모든 플랫폼들을 선택할 수 있는지 물었다.
해설 ② of 이하에 절이 이어지므로 동격 접속사가 와야 함. of → that
⑤ '~인지'에 해당하는 접속사가 와야 함. that → if
어휘 nutritionally 영양적으로 balanced 균형 잡힌

3 해석 Langdon 씨는 잡혀서 재판관에게 갔다. 재판관은 그에게 그가 도둑질을 했는지 물었다.
해설 ② 직접 화법으로 전환 시, 피전달문의 주어 he를 2인칭 you로 바꾸고, 피전달문이 대과거 시제로 주절보다 과거의 일을 나타내므로 시제를 과거 시제로 바꿔 써야 함.

4 해석 ① 나의 친구들은 꿈이 있거나 없다.
② 그 여행은 단조로운 것이 아니라 교육적이었다.
③ 동기는 행동을 이끌 뿐만 아니라 의지를 창조한다.
④ 당신도 그도 둘 다 별로 오랜 기간 동안 머물지 않는다.
⑤ 당신과 그 둘 다 총명하고 너그럽다.
해설 ② 「not A but B」 구문에서 A와 B는 병렬 구조이어야 하고 A, B의 역할이 보어이므로 전치사구를 형용사로 바꿔야 함. with education → educational
어휘 monotonous 단조로운 motivation 동기
drive 추진시키다 willingness 의지

5 해석 문화 상대주의의 기본은 선과 악의 진정한 기준이 실제로 존재하지 않는다는 개념이다. 그러므로 무언가가 옳은지 또는 그른지를 판단하는 것은 개별 사회의 신념에 근거하며, 도덕적 또는 윤리적 견해는 개인의 문화적 관점에 의해 영향을 받는다.
해설 (A) 빈칸 뒤의 절이 the notion과 동격을 이루므로 접속사 that
(B) '~인지'라는 의미를 나타내는 접속사이어야 하므로 whether

6 해석 ① 그녀는 과정이 아니라 결과에 책임이 있다.
② 그녀는 과정이나 결과에 책임이 있다.
③ 그녀는 과정에도 결과에도 책임이 없다.

해설 ④, ⑤ '~뿐만 아니라 또한 …이다'라는 의미를 표현하는 상관 접속사는 「B as well as A」, 「not only A but (also) B」

7 해설 (1) 'A 또는 B'라는 의미의 상관 접속사는 「either A or B」
(2) 'A뿐만 아니라 B도'라는 의미의 상관 접속사는 「not only A but also B」
(3) 'A가 아니라 B'라는 의미의 상관 접속사는 「not A but B」
|TIP| 상관 접속사에서 A와 B는 병렬 구조를 이루어야 하므로 어법상 형태가 같아야 함.
어휘 measure 조치, 정책

8 해석 가게를 떠난 뒤, 나는 내 차로 돌아와 차안에 차 열쇠와 휴대 전화를 넣고 차를 잠갔다는 것을 알게 됐다. 십 대 한 명이 내가 절망에 빠져 타이어를 차는 것을 보았다. "무슨 일이죠?"라고 그는 물었다. 나는 내 상황을 설명했다. "내가 남편에게 전화할 수 있다고 해도 이것이 우리의 유일한 차이기 때문에 그는 나에게 그의 차 열쇠를 가져다 줄 수 없어요."라고 나는 말했다. 그는 그의 휴대 전화를 나에게 건네주었고 "남편에게 전화하실 수 있으신가요?"라고 말했다.
해설 (A) 피전달문이 의문사 what이 있는 의문문이므로 전달동사 asked를 쓰고 의문사 what을 접속사로 사용해야 함. 시제는 전달동사와 같아야 하므로 과거 시제
(B) 피전달문이 의문사 없는 의문문이므로 said를 전달동사 asked로 수정한 뒤 접속사 if 또는 whether를 사용. 피전달문의 주어 you는 주절의 me에 해당하므로 I로 수정하고 시제는 전달동사와 같아야 하므로 과거 시제

9 해석 아마도 대부분의 투자자들이 그들이 처음 투자를 시작할 때 하는 가장 큰 실수는 손실에 대한 공포심에 빠지는 것일 것이다. 이것은 강하고 오랜 기간 지속되는 계획을 세우는 것에 대한 주요 장애물이다. 우리는 우리 돈을 위해 열심히 일하고 우리는 그 돈이 증가하고 우리를 위해 열심히 일해 주는 것을 보길 원한다. 그러나 시작하는 대부분의 투자자들이 이해하지 못하는 것은 주식 시장에 투자하는 것에는 위험성이 있고, 그 위험성과 함께 당신이 때때로 손실을 본다는 것이다. 비록 투자한 것의 가격이 떨어지고 있을지라도 그것은 당신이 서둘러서 투자를 포기해야 한다는 것을 의미하지는 않는다. 결국에는, 당신의 투자가 장기간 성장의 결과물을 맛볼 수 있다.
글의 요지: 초보 투자자들은 단기간 손실이 아니라 장기간 성장에 초점을 맞추어야 한다.
해설 투자는 단기 손실보다는 장기 성장에 더 초점을 맞추어야 한다는 내용이므로 'A가 아니라 B'라는 의미를 나타내는 「not A but B」 구문 사용
어휘 investor 투자자 obstacle 장애 long-lasting 오래 지속하는 stock market 주식 시장 abandon 포기하다, 버리다 in a rush 서둘러 In the long run 결국에는

GRAMMAR POINT 08 부사절 접속사

어법 확인

p. 49

A

1 Unless	2 stay	3 while
4 Because of	5 Although	6 Even though

B

1 in	2 since	3 that
4 soon	5 even	6 long

C

1 ⓐ → Though(Although) 2 ⓒ → while(when/as)
3 ⓓ → that 4 ⓐ → Given that

A

해석

1 아침에 강한 폭풍이 오지 않는다면 우리는 계획한 대로 행사를 개최할 것이다.
2 당신이 가만히 있는다면 상어가 당신을 먼저 공격하지 않을 것이다.
3 한 연구는 사람들이 TV를 보면서 어떻게 의사소통 하는지에 초점을 맞추었다.
4 그의 부재 때문에 회의는 잘 되지 않았다.
5 철저하게 발표를 준비했음에도 불구하고, 그는 그것을 잘하지 못했다.
6 비록 너는 너의 나라로 돌아갈 것이지만 나는 너를 잊지 않을 것이다.

해설

1 '~하지 않는다면'이라는 의미를 나타내야 하므로 if ~ not의 의미를 가진 unless
2 조건 부사절에서 현재 시제로 미래를 나타냄.
3 뒤에 절이 이어지므로 접속사 while이 와야 함.
4 뒤에 명사구가 이어지므로 전치사 Because of가 와야 함.
5 이미 일어난 사실을 전제로 양보의 의미를 나타내므로 Although
|TIP| though, although, even though는 사실을 전제로 하는 양보 부사절에 쓰이고, even if는 가정이나 가상의 의미를 가진 양보 부사절에 쓰임.
6 '~할지라도'라는 의미를 나타내야 하므로 양보 접속사 Even though

B

해석

1 나는 비가 올 경우에 대비해서 네가 우산을 가지고 가야 한다고 생각한다.
2 그가 미국으로 이민을 간 이후로 10년이 흘렀다.
3 네게 맞는 치수가 있다면 너는 그 셔츠를 살 수 있을 것이다.
4 내가 집에 도착하자마자 그 데이터를 네게 보내 줄 것이다.
5 그들이 매우 가난할지라도 그들은 함께해서 행복해 보인다.
6 내가 춤을 출 필요가 없는 한 너의 생일 파티에 갈 것이다.

해설

1 '~할 경우에 대비해서'라는 의미를 나타내는 조건 부사절 접속사 in case
2 '~ 이후로'라는 의미를 나타내는 시간 접속사 since
3 '~라면'이라는 의미를 나타내는 조건 부사절 접속사 provided that
4 '~하자마자'라는 의미를 나타내는 시간 부사절 접속사 as soon as
5 '비록 ~일지라도'라는 의미를 나타내는 양보 부사절 접속사 even though
6 '~하는 한, ~한다면'이라는 의미를 나타내는 조건 부사절 접속사 as long as

C

해석

1 혜택이 매우 좋게 들렸을지라도 그들은 부정적인 결과에 대해서만 생각했다.
2 제가 잠든 경우라면 당신이 거실에 있는 동안 소음을 내지 말아 주세요.
3 그녀가 감기에 걸렸음에도 불구하고 매우 아름답게 노래를 불러서 나는 울었다.
4 Olivia가 16살이라는 것을 고려하면, 그녀의 능력은 정말 놀랍다.

해설

1 ⓐ 부사절이 '보상이 매우 긍정적으로 들릴지라도'라는 의미를 나타내므로 양보 접속사 필요
2 ⓒ 뒤에 절이 이어지므로 접속사가 와야 함.
3 ⓓ '너무 ~해서 …하다'라는 결과 부사절의 접속사는 「so ~ that」
4 ⓐ '~을 고려하면'이라는 의미의 조건 부사절 접속사는 전치사 given에 that을 붙여 만든 Given that

서술형 연습

p. 50

대표 유형 연습 + 빈출 유형 연습

1 Although(Though) Robin Hood did have good intentions
2 In case she visits Sydney
3 As soon as the white ray hit the prism
4 so near that I could hear them
5 so young that they cannot control their eating habits
6 because
7 ⓐ → Since our hotel opened in 1976
ⓒ → If you hang the Eco-card at your door
ⓓ → unless they need to be cleaned

1 해설 '~했을지라도'라는 의미를 나타내는 양보 부사절 접속사 Although나 Though 추가, 주어 Robin Hood, 강조 조동사 did, 본동사 have, 목적어 good intentions 순으로 씀.

2 해설 '~ 경우에 대비해서'라는 의미를 나타내는 조건 부사절 접속사 In case를 추가하고 주어 she 씀. 조건 부사절이므로 현재 시제가 미래를 나타내므로 동사는 3인칭 단수 현재형 visits, 뒤에 목적어 Sydney 순으로 씀.

3 해석 그 백색광이 프리즘에 부딪히자마자 친숙한 무지개 색으로 분리되었다.
해설 on -ing는 '~하자마자'라는 의미의 「전치사+동명사구」로 「as soon as+주어+동사」로 바꿔 쓸 수 있음. on -ing의 의미상 주어는 뒤의 주어와 같음.

4 해석 그들은 아주 가까이 서 있어서 내가 그들이 이야기하는 것을 들을 수 있었다.
해설 「형용사/부사+enough+to부정사」는 '~하기에 충분히 …하다'라는 의미이므로 「so+형용사/부사+that+주어+can+동사원형」으로 바꿔 쓸 수 있음. 절로 전환 시 「for+목적격」으로 쓰인 to부정사의 의미상 주어를 절의 주어로 씀.

5 해석 어린이들은 너무 어려서 그들의 식습관을 조절할 수 없다.
해설 「too+형용사/부사+to부정사」는 '너무 ~해서 …할 수 없다'라는 의미이므로 「so ~ that+주어+cannot+동사원형」으로 바꿔 쓸 수 있음. 절로 전환 시 to부정사 앞에 의미상 주어가 따로 없으면 문장의 주어를 절의 주어로 씀.

6 해석 사회적 관계는 사람들이 사랑받기 좋아하고 칭찬받기 좋아하기 때문에 서로에게 때때로 칭찬을 해 주는 것으로부터 이로움을 얻는다. 거짓말을 한 사람들은 자신의 거짓말이 다른 사람들을 즐겁게 한다는 것을 인식했을 때 만족감을 느끼거나, 그런 거짓말을 함으로써 어색한 상황이나 토론을 피한다는 것을 깨닫기 때문에 사회적 거짓말을 자신의 이익에 부합한다.
해설 첫 번째 문장에서 빈칸 (A) 다음에 나오는 절의 내용이 앞 절의 내용에 대한 이유를 나타내므로 because가 와야 함. 두 번째 문장의 빈칸 (B), (C)는 등위접속사 or에 의해 병렬 연결되어야 하므로 내용상 이유 부사절 접속사 중 등위접속사에 의해 연결될 수 있는 because가 와야 함.

7 해석 저희 호텔에 투숙해 주셔서 감사합니다. 1976년에 우리 호텔이 문을 연 이래로 저희는 에너지 소비와 낭비를 줄임으로써 지구를 보호하는 데에 헌신해 왔습니다. 저희는 새로운 정책을 채택했고 여러분의 도움이 필요합니다. 여러분이 문 앞에 Eco-card를 걸어 두시면, 저희는 당신의 시트, 베갯잇, 잠옷을 교체하지 않을 것입니다. 그리고 컵이 세척될 필요가 없다면 컵을 손대지 않은 채로 둘 것입니다. 저희의 환경 친화적 정책에 대한 여러분의 협조에 감사드립니다.
해설 ⓑ 부사절에 '~ 이래로'라는 의미의 접속사가 필요하고, 주절에 현재완료 수동태가 나오므로 When을 Since로 바꿈.
ⓒ 조건 부사절에서는 현재 시제로 미래를 나타냄.
ⓓ 문맥상 '컵이 세척될 필요가 없다면'이라는 의미이므로 '~이 아니라면'의 의미를 나타내는 부사절 접속사 필요. 따라서 if를 unless로 바꿈.

내신 대비 문제

p. 52

1 ② **2** ② **3** ③, ④ **4** ② **5** ④ **6** ③ **7** ③

8 (1) as soon as he knows something about it

(2) Given that you study hard every day

(3) since it was still raining

9 (1) ○ (2) × → Although(Though) he had no courage to make a speech

(3) × → In case a fire breaks out

10 (A) When (B) even if

(C) even if (D) because

1 해석 Meghan Vogel은 피곤했다. 그녀는 2012년 주 선수권 대회의 1,600미터 경주에서 방금 우승했다. 그녀는 그 후 너무 기진맥진해서 그녀의 다음 경주였던 3,200미터가 끝날 무렵 꼴찌였다.

해설 ② so ~ that+주어+동사: 너무 ~해서 …하다

이 구문에서는 '그 후'라는 의미의 부사 afterward가 exhausted 뒤에 삽입되었음.

2 해석 양쪽 모두가 상대방이 제공하는 것을 원하지 않으면 거래는 발생하지 않는다. 농부가 빵 한 덩이를 얻기 위해 제빵사와 계란을 거래하기를 원한다고 가정해 보자. 만약 제빵사가 계란에 대한 필요나 욕구가 없다면, 농부는 운이 없으며 아무 빵도 얻지 못한다.

해설 ② 내용상 조건 부사절이어야 하고 '~하지 않으면'의 의미를 나타내야 하므로 접속사 unless나 if ~ not 구문이 쓰여야 함. 조건 부사절에서는 현재 시제로 미래를 나타냄.

어휘 trade 거래; 거래하다 occur 발생하다 party 당사자

3 해석 아이들은 그들의 부모가 그들에게 자유 시간을 준다면/줄 때/주더라도 계속 동영상을 볼 것이다.

해설 뒤에 절이 이어지므로 빈칸에는 접속사가 와야 함.

4 해석 많은 Joshua 나무들은, 그것들이 다른 곳에 옮겨 심겼을 때의 매우 낮은 생존율에도 불구하고, 도시에 심기도록 이동되어져 왔다.

해설 (A) 문맥상 양보의 의미를 가지고 뒤에 명사구가 이어지므로 전치사 despite이 들어가야 함.

(B) 문맥상 '~할 때'의 의미를 가지고 뒤에 절이 이어지므로 접속사 when이 들어가야 함.

어휘 urban 도시의

5 해석 ① 시험을 보는 동안 나는 신경을 진정시키려고 노력했다.

② 그녀의 개가 늙자마자, 그녀는 그에게 명령을 내린다.

③ 그녀는 인생의 후반 시간 동안 그림을 그릴 수 없었다.

④ 비록 그들이 부유하지 않았지만, 그들은 자신들의 삶에 만족했다.

⑤ 관계가 있다 하더라도 둘 중 어느 행동도 다른 것을 직접적으로 유발할 수는 없었을 것이다.

해설 ① 뒤에 절이 이어지므로 시간 부사절을 이끄는 접속사가 와야 함. During → When(While/As)

② 시간 부사절에서는 현재 시제로 미래를 나타냄. will lie → lies

③ 뒤에 명사구가 이어지므로 전치사가 와야 함. when → during

⑤ 뒤에 절이 이어지므로 양보 부사절을 이끄는 접속사가 와야 함. despite → although(even if/even though)

어휘 nerve 신경

6 해석 ① 당신이 나무 근처에 머문다면 공기가 신선함을 알아차릴 것이다.

② 당신이 남다르게 재능이 없다면 당신은 정말 열심히 노력해야 할 것이다.

③ 당신의 친구들이 당신에게 그들이 어떤 기분을 느끼고 있는지 말하지 않는다 해도, 당신은 그들이 어떤 종류의 기분을 느끼고 있는지 잘 알아맞힐 수 있을 것이다.

④ 나무의 나이테는 우리에게 나무의 일생 동안 매년 날씨가 어떠했는지를 말해준다.

⑤ 나무는 지역 기후 조건에 민감하기 때문에, 그것들은 우리에게 정보를 준다.

해설 ① 조건 부사절에서는 현재 시제로 미래를 나타냄.

will stay → stay

② 조건 부사절에서는 현재 시제로 미래 시제를 나타냄.

will be unusually gifted → are unusually gifted

④ 뒤에 명사구가 이어지므로 전치사가 와야 함. while → during

⑤ 뒤에 절이 이어지므로 접속사가 와야 함. Because of → Because

어휘 gifted 재능이 있는 sensitive 민감한 local 지역의 climate 기후 condition 조건

7 해석 • 나는 Oliver가 똑똑하고 다정하기 때문에 그를 좋아한다.

• 처음에 모든 출판사들로부터 거절당했지만 그 이야기는 진정으로 훌륭했다.

• 네게 주인공 역할이 주어진다면, 그 역할을 맡을 거니?

• 나는 내일 비가 오지 않는다면 빨래를 할 것이다.

• 그들은 정말 열심히 연습해서 모든 경기를 이겼다.

해설 (C) '~한다면'의 의미를 갖는 접속사 대용어구 중 뒤에 that이 오는 것은 Provided, Providing, Suppose, Supposing이 있음.

어휘 publisher 출판사

8 해설 (1) '~하자마자'라는 의미를 나타내야 하므로 as soon as 사용. 문장의 시제가 미래이고 시간 부사절에서 현재 시제가 미래를 나타내므로 know를 3인칭 단수 주어에 맞는 knows로 바꿔 씀. 그 뒤에 목적어, 전치사, 전치사의 목적어 순으로 씀.

(2) '~을 고려해 보면'이라는 의미를 나타내야 하므로 given that을 사용. 부사절은 현재의 습관적인 일이므로 현재 시제로 쓰고 주어가 2인칭이므로 동사 study는 어형 변화 없음. 그 뒤에 부사들을 씀.

(3) '~ 때문에'라는 의미를 나타내야 하므로 since를 사용하고 뒤에 날씨를 나타내는 비인칭 주어 it을 씀. 동사는 과거 진행형을 나타내야 하므로 was raining, 부사 still은 be동사와 일반동사 사이에 씀.

9 해석 (1) 산에서의 밤은 매우 어둡기 때문에 손전등을 가지고 가는 것이 권장된다.

(2) 그는 연설할 용기는 없었지만, 연설 대회에 지원했다.

(3) 화재가 발생하는 경우에 대비하여 반드시 가장 가까운 비상구가 어디에 있는지 알아두어라.

해설 (2) In spite of 뒤에 절이 이어지므로 전치사가 아닌 양보 부사절을 이끄는 접속사가 와야 함.

(3) 조건 부사절에서는 현재 시제로 미래를 나타냄.

어휘 break out 발생하다

10 해석 내가 아주 어렸을 때 나는 공룡과 용 사이의 차이를 구별하는 데 어려움을 겪었다. 하지만 그들 사이에는 뚜렷한 차이가 있다. 용은 그리스 신화, 영국의 King Arthur에 관한 전설, 중국의 새해 행렬, 그리고 인류 역사에 걸쳐 많은 이야기에 등장

한다. 하지만 용이 오늘날 만들어진 이야기에서 중요한 역할을 한다 할지라도, 용은 언제나 인간 상상력의 산물이었고, 결코 존재하지 않았다. 하지만 공룡은 한때 진짜로 살았다. 비록 인간이 공룡을 결코 본 적이 없었다 할지라도, 그들은 아주 오랜 시간 동안 이 세상을 걸어 다녔다. 공룡은 약 2억 년 전에 살았고 공룡의 뼈가 화석으로 보존되어 왔기 때문에 우리는 공룡에 대해 알고 있다.

해설 (A) 문맥상 '내가 아주 어렸을 때'가 되어야 하고 뒤에 절이 이어지므로 접속사 When이 와야 함.
(B) 문맥상 역접 접속사가 와야 하고 '용이 오늘날 만들어진 이야기에서 중요한 역할을 한다 할지라도'라는 의미가 되어야 하며, 뒤에 절이 이어지므로 양보 접속사 even if가 와야 함.
(C) 문맥상 '비록 인간이 공룡을 결코 본 적이 없었다 할지라도'라는 의미가 되어야 하고 뒤에 절이 이어지므로 양보 접속사 even if가 와야 함.
(D) 문맥상 '보존되어 왔기 때문에'라는 의미가 되어야 하고 뒤에 절이 이어지므로 이유 접속사 because가 와야 함.

관계대명사

어법 확인 p. 55

A
1 ○ 2 × 3 × 4 × 5 ×

B
1 What 2 who, whom 3 what
4 which 5 is 6 that

C
1 ⓒ → whose 2 ⓑ → what 3 ⓑ → which

A

해석
1 그는 브랜드 로고가 동그라미인 회사를 찾기 시작했다.
2 부모님께서 내게 내가 가지고 싶은 것을 주셨다.
3 그는 통근 거리가 먼 새 직업을 구했다.
4 콜라병은 888 ml이었고, 그것은 나에게 매우 이상한 양이었다.
5 무대에서 춤을 추고 있는 학생들은 전문 댄서처럼 보인다.

해설
1 brand 앞에 '~의'라는 소유격 필요. 소유격 관계대명사 whose가 쓰였으므로 어법상 맞음.
|TIP| 소유격 관계대명사를 쓰는 경우 뒤에 주어와 동사가 모두 있는 것처럼 보이지만 주어 자리에 오는 명사에 관사나 소유격 등이 필요한 상태임에 유의할 것
2 선행사가 없고 뒤의 절이 불완전한(have의 목적어가 없음) 경우이므로 선행사를 포함한 관계대명사 what이 쓰여야 함.
3 사물 선행사(a new job)가 있고 뒤의 절이 주어가 없는 불완전한 형태이므로 관계대명사 which나 that이 쓰여야 함.
어휘 commute 통근 (거리)
4 관계대명사 앞에 콤마(,)가 있는 계속적 용법이므로 that은 쓸 수 없고 which가 쓰여야 함.
5 who 이하에 동사가 없으며, '춤을 추고 있는'의 의미를 가져야 하므로 dancing 앞에 be동사 are를 추가해서 who are dancing으로 바꾸거나 who를 삭제하여 dancing으로 써야 함.

B

해석
1 요리사가 되는 데 가장 중요한 것은 일단 요리를 사랑하는 것이다.
2 네가 어제 만났던 여성은 나의 영어 선생님이다.
3 말을 하면서 손동작을 사용하는 것은 사람들이 당신이 말한 것을 기억하는 데 도움을 준다.
4 재사용 가능한 물건을 사용하는 것은 환경친화적인 행동으로 고려되고, 이는 환경에 도움을 준다.
5 중요한 것은 양이 아니라 질이다.
6 Tina가 금메달을 땄다는 소식은 모두를 놀래켰다.

해설
1 주어가 없는 불완전한 절이고 선행사가 필요하므로 선행사를 포함하는 주격 관계대명사 what
어휘 matter 중요하다
2 선행사는 사람이고 met의 목적어가 없는 불완전한 절이므로 목적격 관계대명사 who(m)
3 앞 절 remember와 뒤 절 say의 목적어가 없는 불완전한 절이 remember의 목적어로 쓰여야 하는 문장으로 선행사를 포함하는 목적격 관계대명사 what
4 관계대명사 앞에 콤마(,)가 오는 계속적 용법이고 선행사가 앞 절 전체이므로 which
어휘 reusable 재사용가능한 green 환경친화적인
5 관계대명사 what이 이끄는 절이 주어로 쓰이면 단수 취급
어휘 count 중요하다
6 앞에 명사가 있고 뒤 절이 완전하므로 관계대명사가 아닌 접속사 that

C

해석
1 우리의 조상들이 썼던 것은 그것의 의도된 의미가 잘 알려진 많은 상징들을 포함한다.
2 그의 어머니의 꾸준하고 한결같은 양육은 그가 자신이 한 것에 대해 반성하게 했고, 그것은 그가 다른 사람들을 존중하는 것을 배우도록 도와주었다.
3 그들은 은본위 제도가 시장에 더 많은 돈을 투입할 수 있고 돈을 순환할 수 있도록 도우며, 이는 그들로 하여금 그들의 빚을 더 쉽게 갚을 수 있도록 도와줄 수 있다고 믿었다.

해설
1 ⓒ intended meaning의 관사나 소유격이 없으므로 소유격 관계대명사 필요
2 ⓑ 전치사 on의 목적어절을 이끌어야 하며, 그 절이 목적어가 없어 불완전하고 '~한 것'이라는 뜻의 선행사가 있어야 하므로 선행사 포함 관계대명사 필요
3 ⓑ 앞 절을 선행사로 하는 계속적 용법의 관계대명사

서술형 연습 p. 56

기출 예제 **해석**

뉴스의 순환, 저널리스트의 일은 결코 멈추지 않는다. 그러므로 케이블 TV의 성장으로 나타난 '24시간'의 뉴스 순환은 이제 과거의 것이다. 뉴스 '순환'은 정말로 끊임없이 계속되는 것이다.

대표 유형 연습 + 빈출 유형 연습

1 who will take these pets into their homes
2 which enable us to move our face
3 (1) (which(that)) they can take to get them
(2) which(that) they thought was the most attractive
4 (A) What (B) which(that) (C) which
5 ⓑ → whose hearts have stopped beating
ⓓ → who(that) is only clinically dead

1 **해석** 여러분의 노력에도 불구하고, 특별한 도움이 필요한 동물을 돌보는 것은 저희 시설의 수용 능력을 넘어섰습니다. 이 반려동물을 집으로 데려갈 지역 주민이 없다면, 저희 보호 센터는 입양이 어려운 동물로 곧 가득찰 것입니다.
해설 빈칸이 있는 구는 완전하므로 빈칸에 community members를 수식하는 관계대명사절이 들어감을 알 수 있음. 선행사에 대응하는 관계대명사 who 배치 후 동사를 문맥에 맞게 will take로 바꿈. 「목적어(these pets)+부사구(into their homes)」 순으로 배열

2 **해석** 친구가 어떻게 느끼고 있는지에 대해 알기 위해 당신이 사용할 그 나머지 주요한 단서는 그나 그녀의 얼굴 표정을 보는 것일 것이다. 우리는 얼굴에 많은 다른 위치로 우리의 얼굴을 움직일 수 있게 하는 많은 근육들을 가지고 있다.
해설 빈칸이 있는 절이 완전하므로 빈칸에 our faces를 수식하는 관계대명사절이 들어감을 알 수 있음. 선행사에 대응하는 관계대명사 which 배치 후 동사 enable을 선행사에 수 일치시켜 enable 그대로 씀. 「enable+목적어(us)+목적격 보어(to move)+to부정사의 목적어」 순으로 배열

3 **해석** (1) 그들은 그것들을 얻기 위해서 취할 수 있는 구체적인 단계에 대해 생각하고 이야기한다.
(2) 참가자들은 그들이 생각하기에 가장 매력적인 사진 한 장을 골랐고, 그 사진을 연구자들에게 건네주었다.
해설 (1) 우리말의 '그것들'이 선행사 the specific action steps를 가리키므로 목적격 관계대명사절이 쓰여야 하며, 목적격 관계대명사 which(that)을 쓰거나 생략 후 「주어(they)+동사(can take)+목적어(them)」 순으로 배열
(2) 사진이 매력적인 것이므로 선행사 a photo를 주어로 하는 주격 관계대명사절이 쓰여야 하며, '그들이 생각하기에'라는 삽입절이 들어가야 함. 문장의 시제가 과거이므로 삽입절 역시 과거 시제로 씀. 관계대명사 which[that] 뒤에 「삽입절(they thought)+be동사 과거형(was)+attractive의 최상급(the most attractive)」 순으로 배열

4 **해석** 너무 밝은 빛이나 여러분의 눈에 직접적으로 비추는 빛이 그러한 것처럼 나쁜 조명은 여러분의 눈에 스트레스를 증가시킬 수 있다. 형광등 또한 피로할 수 있다. 여러분이 이해하지 못할지도 모르는 것은 빛의 질 또한 중요할 수 있다는 것이다. 대부분의 사람들은 밝은 햇빛 속에서 가장 행복한데, 이는 정서적인 행복감을 가져오는 체내의 화학물질을 분비시킬지도 모른다. 전형적으로 몇 개의 빛 파장만 포함하는 인공조명은 햇빛이 분위기에 미치는 것과 동일한 효과를 가지고 있는 것처럼 보이지 않는다.
해설 (A) 뒤 절이 목적어가 없어 불완전하고 선행사가 필요하므로 선행사를 포함하는 관계대명사 what
(B) 뒤 절이 주어가 없어 불완전하고 앞의 the body가 선행사이므로 주격 관계대명사 which 또는 that
(C) 뒤 절이 주어가 없어 불완전하고 앞의 Artificial light가 선행사이므로 주격 관계대명사 which. 앞에 콤마가 있으므로 that은 쓸 수 없음.

5 **해석** 사람의 심장이 멈추고 그들이 마지막 숨을 쉴 때, 흔히 그들은 사망한 것이라고 알려진다. 그러나 지난 반세기 동안 의사들은 여러 번에 걸쳐 그들이 심폐소생술과 같은 다양한 기술에 의해 심장 박동이 멈춘 많은 환자들을 소생시킬 수 있음을 거듭 입증해 왔다. 그래서 심장이 멈춘 환자는 더 이상 사망했다고 간주될 수 없다. 대신에 그 환자는 '임상적으로 사망한' 것이라고 일컬어진다. 단지 임상적으로 사망한 어떤 사람은 종종 소생될 수 있다.
해설 ⓑ '(그들의) 심장이 박동을 멈춘'의 의미를 나타내야 하므로 소유격 관계대명사 whose
ⓓ '임상적으로 사망한'의 의미를 나타내야 하고 선행사가 사람(someone)이며 관계대명사절의 주어가 되어야 하므로 주격 관계대명사 who 또는 that

내신 대비 문제 p. 58

1 ④ **2** ⑤ **3** ④ **4** ② **5** ③ **6** ④ **7** ⑤
8 (1) have → who(that) have (2) of which → which
(3) whose → who(that)
9 (A) that (B) who(that) (C) which(that)
10 which(that) will result in prizes

1 **해석** 몇몇 학습 안내서들은 달력에 상세히 기록하는 것을 지지하며, 그래서 당신은 전체 학기 내내 매 분, 매 시간, 매일 동안 해야 할 일을 알게 될 것이다.
해설 will know의 목적어로 선행사가 필요하고, 빈칸 뒤 동사 do의 목적어가 필요하므로 선행사를 포함하는 관계대명사 what
어휘 advocate 지지하다 fill out 채우다 elaborate 정교한

2 **해석** 창의적인 과정을 서두르는 것은 추가 시간이 있으면 달성될 수도 있을 우수한 수준을 밑도는 결과를 초래할 수 있다.
해설 첫 번째 빈칸에는 사물 선행사 results를 수식하는 주격 관계대명사 필요. 두 번째 빈칸에는 사물 선행사 the standard of excellence를 수식하는 주격 관계대명사 필요. 선택지에서 사물 선행사를 받을 수 있는 주격 관계대명사는 ⑤ that 뿐임.
어휘 rush 서두르다 additional 추가적인

3 **해석** ① 어떤 사람이 가지는 자신감은 그 또는 그녀가 즐겨 먹는 경향이 있는 음식의 종류와 관계가 있다.
② 학생들은 그들이 세 번째로 아름답다고 평가했던 포스터를 가질 수 없었다.

③ 몇몇 참가자들은 그들이 오랫동안 알고 지내 왔던 친한 친구들 옆에 섰다.
④ 요청받지 않았는데 음식을 가져온 직원들을 칭찬하는 것은 좋은 생각이다.
⑤ 음식은 여러분이 관리자로서 사용할 수 있는 가장 중요한 도구 중 하나이다.
해설 ④ 선행사 employees를 수식하는 주격 관계대명사 who는 생략할 수 없음.
①, ②, ③, ⑤ 목적격 관계대명사로 생략 가능

4 **해석** 휴대 전화는 많은 개인 정보를 포함하고 있다. 그 정보는 안전하게 보관되어야 한다.
해설 ② 두 문장에서 much personal information과 The information이 공통되는 부분이고, The information이 문장 내에서 주어 역할을 하므로 사물 선행사를 받는 주격 관계대명사 that이나 which를 이용하여 연결
어휘 securely 안전하게, 확실하게

5 **해석** 내 친구 중 한 명이 내게 책을 추천했다. 그 책의 이름은 굉장히 이상했다.
해설 공통된 명사는 a book과 The book이며 뒤 절의 The book은 The book's로 소유격이므로 소유격 관계대명사 필요. 선행사(a book) 뒤에 소유격 관계대명사(whose)를 써서 연결

6 **해석** 스와힐리어는 일부 동아프리카 국가들에서 쓰이는 언어이다.
해설 spoken은 앞의 a language를 수식하는 과거분사로 과거분사 앞에 「주격 관계대명사+be동사」가 생략되어 있는데, 문장의 시제가 현재이고 선행사이자 주어인 the language가 단수이므로 which(that) is spoken과 바꿔 쓸 수 있음.

7 **해석** 사람들이 여러분이 쓴 글을 읽고 이해하기를 원한다면 구어체로 글을 써라. 문어체는 더 복잡하고 이는 읽는 것이 더 많은 일이 되게 한다.
해설 앞 절 전체를 선행사로 받아 계속적 용법으로 쓰일 수 있는 관계대명사는 which이며 밑줄 친 우리말 부분이 현재 시제이므로 관계대명사에 동사의 수를 일치시켜 3인칭 단수 동사 makes를 써야 함.

8 **해석** (1) 올해 많은 기부를 한 사람 중 한 명은 Anderson 씨이다.
(2) 그는 내게 녹차 한 잔을 건넸고, 나는 그것을 거절했다.
(3) 이 모든 것이 우리가 너무 어리다고 생각했던 아이에 의해 행해졌다.
해설 (1) 문장에 동사가 have와 is 두 개가 있으므로 두 개의 절을 연결해야 함. 문맥상 '올해 많은 기부를 한 사람 중 한 사람'이 주어가 되어야 하므로 선행사 men 뒤에 주격 관계대명사가 와야 함.
(2) 그가 건넨 녹차를 설명하는 계속적 용법으로 쓰인 관계대명사이며, decline은 목적어를 직접 취하므로 전치사 of 불필요
(3) 삽입구 we thought 뒤에 동사 was의 주어가 없으므로 주격 관계대명사가 와야 함.

9 **해석** 모든 사람들은 개가 훌륭한 애완동물이 된다는 것을 안다. 그러나 많은 개들은 또한 다른 직업을 가지고 있다. 예를 들어 어떤 개들은 경찰관에 의해 이용된다. 이런 개는 자주 곤경에 처한 사람들을 돕거나 길을 잃은 사람들을 찾아낸다. 또 다른 개들은 공항에서 일한다. 그것들은 사람들이 다른 나라에서 가져오도록 되어 있지 않은 식물, 음식, 그리고 다른 것들을 냄새로 찾아낸다.
해설 (A) know의 목적어절을 이끌어야 하고 빈칸 뒤 절이 완전하므로 접속사 that
(B) 선행사가 사람이고 뒤 절에 주어가 없으므로 주격 관계대명사 who(that)
(C) 선행사가 있고 뒤 절 동사(bring)의 목적어가 없으므로 목적격 관계대명사 which(that)
어휘 sniff out 냄새로 ~을 알아내다

10 **해석** 틀림없이 칭찬은 아이의 자존감에 중요하지만, 너무 사소한 것을 너무 자주 칭찬을 받으면 그것은 진정한 칭찬이 필요할 때, 진정한 칭찬의 영향을 없앤다. 모든 사람들은 그들이 가치 있고 인정받는다는 것을 알 필요가 있고, 칭찬은 그러한 감정들을 표현하는 하나의 방법이다. 그러나 '칭찬할만한' 것이 달성된 이후에만 그렇다. 상은 '보상'이어야만 한다. 긍정적인 행동들에 대한 반응과 '어떤 것을 잘한 것'에 대한 상이 그것이다. 그러한 상을 너무 가볍게 부여하는 것에 항상 존재하는 위험은 아이들이 무엇이 상을 받게 할 것인지 알 수 있고 그러한 것들만 하려는 경향을 가질 수도 있다는 것이다.
➡ 아이들을 너무 작은 것에 너무 자주 칭찬하는 것은 좋지 않은데, 그들이 단지 상을 받게 하는 것들만 하려는 경향을 가질 수 있기 때문이다.
해설 '상을 받게 하는'의 의미가 되어야 하며 선행사가 those things로 사물이며 복수임. those things가 상을 받게 하는 주체이므로 주격 관계대명사 which나 that이 올 수 있음. 뒤에는 동사구(will result in prizes)가 옴.
어휘 self-esteem 자존감 impact 영향
call for ~을 필요로 하다 appreciate 인정하다
praiseworthy 칭찬할 만한

GRAMMAR POINT 10

관계부사 · 복합관계사

어법 확인
p. 61

A

1 ○ 2 × 3 × 4 × 5 ○

B

1 when 2 where 3 Whoever
4 Whenever 5 whichever

C

1 ⓒ → when(in which) 2 ⓒ → where(in which)
3 ⓒ → whatever 4 ⓑ → whatever

A

해석

1 우리가 쉽게 우주 여행을 즐길 때가 곧 올 것이다.
2 그 영화는 당신에게 우리 조상들이 살아왔던 방식을 보여 줄 것이다.
3 우리가 머물렀던 게스트 하우스는 상태가 안 좋았다.
4 그들은 챔피언십 경기가 열렸던 Old Trafford에 갔다.
5 무슨 일이 생기든 우리는 포기하지 않을 것이다.

해설

1 뒤에 완전한 절이 오고 선행사(The time)가 시간을 나타내므로 관계부사 when이 어법상 맞음. 「전치사+관계대명사」 in which로 바꿔 쓸 수 있음.
2 선행사 the way와 관계부사 how는 동시에 쓸 수 없으므로 how를 생략하거나 that(in which)로 바꿔야 함.
어휘 ancestor 조상
3 뒤에 완전한 절이 오고 선행사가 장소(The guest house)이므로 관계부사 where 또는 「전치사+관계대명사」 at which가 되어야 함.
4 뒤에 완전한 절이 오고 선행사가 장소(Old Trafford)이므로 관계부사 where, 또는 「전치사+관계대명사」 in which가 되어야 함.
5 앞 절에 주어가 있어야 하므로 명사절을 만들 수 있는 복합관계대명사 Whatever가 어법상 맞음.

B

해석

1 나는 우리 모두가 서로의 취미를 즐길 기회를 갖는 취미의 날을 준비할 계획이다.
2 그녀는 여성들이 인력거 운전사가 되기 위해 배우는 프로그램을 제공한다.
3 누가 선출이 되더라도, 우리는 그/그녀를 우리 지도자로 받아들여야 한다.
4 Angela가 우울할 때마다, 그녀의 어머니는 그녀를 격려했다.
5 그는 그가 어느 영화를 선택하든 그녀가 좋아할 것이라고 확신했다.

해설

1 선행사가 시간(a hobby day)이므로 관계부사 when이 이끄는 절이 수식함. where는 on which로 바꿔 쓸 수 있음.
2 뒤에 완전한 수동태 절이 오고 선행사가 추상적인 장소 개념인 a program이므로 관계부사 where가 이끄는 절이 수식함.
어휘 rickshaw 인력거
3 '누가 ~하더라도'라는 의미의 양보 부사절을 이끄는 복합관계대명사 Whoever 필요
4 '~할 때마다'라는 의미의 시간 부사절을 이끄는 복합관계부사 Whenever 필요
5 movie를 수식하고 '어느 ~이든'이라는 뜻으로 쓰일 수 있는 복합관계형용사 whichever 필요

C

해석

1 꽃의 특별한 상징을 배우는 것은 1800년대에 인기 있게 되었고 그때 각각의 꽃이 특별한 의미를 부여받았다.
2 그 기술은 공룡들이 주인공을 위협하고 있는 영화 장면에서 사용될 수 있다.
3 조화가 방해받자마자, 우리는 그것을 복구하기 위해서 우리가 할 수 있는 것은 무엇이든지 한다.
4 이것은 당신으로 하여금 당신의 일생 동안 원하는 무슨 경험이든지 할 수 있게 한다.

해설

1 ⓒ 뒤에 수동태 형태로 완전한 절이 오고 선행사가 시간(the 1800s)이며 계속적 용법으로 쓰이므로 관계대명사 which를 관계부사 when으로 수정
어휘 symbolism 상징 assign 부여하다
2 ⓒ 뒤에 완전한 절이 오고 선행사가 추상적 장소(a movie scene)이므로 관계대명사 which를 관계부사 where나 in which로 수정
어휘 threaten 위협하다
3 ⓒ 뒤에 불완전한 절이 오고 '~하는 것은 무엇이든지'라는 의미를 나타내야 하므로 복합관계부사 however를 복합관계대명사 whatever로 수정
어휘 disrupt 방해하다 restore 복구하다
4 ⓑ 명사 experiences를 수식하며 '어떤 ~이든지'의 의미를 나타내야 하므로 복합관계형용사 whatever로 수정
어휘 duration 기간

서술형 연습
p. 62

기출 예제 해석

그 산책은 더 흥미로울 것이고 더 안전하게 느껴질 것이다. 사람들이 공연하거나 음악을 연주하는 것을 볼 수 있는 행사는 많은 사람들을 끌어들여 머무르면서 구경하게 할 것이다. 도시 공간의 벤치와 의자에 관한 연구는 도시 생활의 가장 좋은 경관을 보여 주는 자리가 다른 사람들을 보여 주지 않는 그것보다 훨씬 더 자주 이용된다는 것을 보여 준다.

대표 유형 연습 + 빈출 유형 연습

1 no way (that) he could beat the hare in a race
2 where(to which) a reporter would submit his or her news story

3 to repeat whatever one hears
4 (1) Imagine the grocery store where you shop the most.
(2) I was in the situation where I could control everything.
(3) However much he eats, he never gets fat. / He never gets fat, however much he eats.
5 (A) whatever choice you make
(B) whatever decision you make
6 (A) However much you have accomplished
(B) However loaded you are with problems

1 해석 경기에서 진 후, 거북은 여러 생각을 했고 경주에서 토끼를 이길 수 있는 방법이 없다는 것을 깨달았다.
해설 선행사 no way와 관계부사 how는 같이 쓸 수 없으므로 how를 삭제하거나 how를 관계부사 that으로 바꿔야 함.

2 해석 신문 기사와 텔레비전 보도는 기자가 인쇄, 방송, 또는 게시를 위해 자신의 뉴스 기사를 제출할 하나의 중심적인 장소를 필요로 했다.
해설 a reporter ~ posting절이 완전하고 선행사가 장소(one central place)이므로 for which를 관계부사 where 또는 to which로 수정

3 해석 몇 년 전에 워싱턴 D.C.의 전국 단어 철자 맞히기 대회에서, 13살짜리 소년이 누군가 듣는 것은 무엇이든 따라 말하는 경향을 의미하는 'echolalia(반향 언어)'라는 단어의 철자를 말하도록 요청받았다.
해설 to repeat의 목적어이고 '~하는 것은 무엇이든지'의 의미를 나타내야 하므로 복합관계대명사 whatever로 수정
TIP 복합관계부사 whenever를 쓰기 위해서는 repeat과 hears의 목적어가 있어야 함.

4 해설 (1) 장소 선행사 the grocery store를 관계부사 where가 이끄는 절이 수식하도록 배열
(2) 추상적 장소 선행사 the situation을 관계부사 where가 이끄는 절이 수식하도록 배열
(3) 관계부사 however를 사용하여 「however+부사+주어+동사, 주어+동사」 순으로 배열

5 해석 인생에서 여러분이 하는 어떤 선택이든지 개인적 책임을 지는 것은 중요하다. 결과가 여러분이 원했던 것이 아닐지라도 여러분의 결정으로 다른 사람을 비난하지 마라. 책임을 지는 것은 여러분이 좋은 결정과 나쁜 결정으로부터 배우도록 도울 것이다. 그러므로 여러분이 한 어떤 결정이든 배움의 경험이다.
해설 (A) any choice that은 「복합관계형용사+명사」 whatever choice로 바꿔 쓸 수 있음.
(B) any decision that은 「복합관계형용사+명사」 whatever decision으로 바꿔 쓸 수 있음.

6 해석 아무리 많은 업적을 달성했을지라도, 당신은 도움이 필요하다. 아무리 문제들로 짐이 지워졌다 할지라도, 심지어 돈이나 잠 잘 장소가 없다 하더라도, 당신은 도움을 줄 수 있다.
해설 「no matter how+형용사/부사+주어+동사」는 복합관계부사를 이용하여 '아무리 ~해도'라는 뜻의 「however+형용사/부사+주어+동사」 구문으로 바꿔 쓸 수 있음.

내신 대비 문제 p. 64

1 ⑤ 2 ③ 3 ②, ⑤ 4 ② 5 ③ 6 ④ 7 ④ 8 ③
9 (1) where he captured scenes from the Korean War
(2) Whatever you learn there
(3) However high the mountain is
10 whenever he came across workers who(that) were not wearing hard hats

1 해석 ① 동물이 등장하는 많은 속담들이 있다.
② 색은 우리가 살아가고 생각하는 방식에 영향을 줄 수 있다
③ 태양이 그렇게 보이는 이유는 그것이 불타고 있기 때문이다.
④ 그는 버지니아의 Phoetus로 이사했고, 그곳에서 그는 Chamberlin 호텔에서 일했다.
⑤ 이것은 당신으로 하여금 당신이 원하는 어떠한 경험이라도 갖도록 허락한다.
해설 ⑤ 명사 experiences를 수식해야 하므로 복합관계형용사를 써야 함. whenever → whatever

2 해석 ① 무슨 일이 일어나도 우리는 단결해야 한다.
② 그것이 스토리텔링이 그토록 설득력 있는 수단인 한 가지 이유이다.
③ 우리는 사람들이 행동하는 방식에 관해 일반화를 형성하는 경향이 있다.
④ 사람들이 요정이 존재한다고 믿는 몇몇 장소가 있다.
⑤ 내가 그것을 포기하고 싶었던 때가 있었지만 포기하지 않았다.
해설 ③ 방법을 나타내는 선행사 the way와 관계부사 how는 동시에 쓸 수 없음. the way how → how / the way / the way that / the way in which
어휘 stick together 함께 뭉치다, 단결하다 persuasive 설득력 있는 generalization 일반화

3 해설 ②, ⑤ '아무리 ~일지라도'라는 의미의 「however+형용사/부사+주어+동사」 또는 「no matter how+형용사/부사+주어+동사」 구문활용
어휘 righteousness 정의

4 해석 그는 그의 아들에게 그가 TV 시간, 피아노 시간, 공부 시간을 컴퓨터 게임과 동물원 방문과 교환할 수 있다고 제안했다. 그들은 점수 체계를 정했는데, 그 체계에서 그는 TV를 덜 볼 때마다 점수를 획득했다.
해설 (A) 추상적인 장소 선행사 a point system을 받아 계속적 용법으로 쓰이며 뒤 절이 완전하므로 관계부사 where
(B) 뒤 절이 완전하고 '~할 때마다'라는 의미가 되어야 하므로 복합관계부사 whenever

5 해석 안전한 인도 혹은 표시된 자전거 차선이 없거나, 차량이 빠르게 지나가거나, 또는 공기가 오염된 도로에서 걷거나 자전거를 타는 것을 선택하는 사람은 거의 없을 것이다.
해설 ③ 두 빈칸 모두 장소 선행사 roadways를 수식하며 뒤 절이 완전하므로 관계부사 where

6 해석 그녀는 창문까지 그녀의 아들을 따라갔다. 그녀는 그 창문에서 무지개를 볼 수 있었다.
해설 ④ 두 문장에서 the window가 공통 부분이므로 뒤 문장의 from the window를 「전치사+관계대명사」 from which나 관계부사 where로 바꿔 한 문장으로 연결

7 **해석** ① 냉장고나 직장 등 필요한 곳이면 어디든지 그 스티커를 붙여라.

② 1973년에 그는 고향으로 돌아왔고 그곳에서 은성 훈장을 받았다.

③ 그것은 지역의 산길을 따라 참가자들을 안내하는 하이킹 프로그램이다.

④ Wilson 씨는 그가 학생들에게 다섯 개의 다른 예술 포스터의 선택지를 주었던 실험을 했다.

⑤ 당신이 화성에 있는 이유가 무엇이든지, 나는 당신이 그곳에 있어서 기쁘다.

해설 ④ which 뒤에 4형식의 완전한 절이 오므로 관계부사 또는 「전치사+관계대명사」가 와야 하는데 의미상 in the experiment를 나타내야 함. 따라서 in which 또는 where

8 **해석** ⓐ 우리는 어떤 추가 단계가 필요하든지 받아들여야 한다.

ⓑ 감정 그 자체는 그것이 발생하는 상황에 매여 있다.

ⓒ 이 그림은 대중에게 그것을 만드는 방식으로 도전적이었다.

ⓓ 우리는 일들이 복잡한 방식으로 변화하는 예측 불가능한 세상에 산다.

ⓔ 이러한 순환은 생명이 수백만 년 동안 우리 지구에서 번창해왔던 근본적인 이유이다.

ⓕ 상담자는 종종 고객들에게 그들을 괴롭히는 것이 무엇이든지 약간의 감정적 거리를 두도록 조언한다.

해설 ⓐ additional steps를 수식하면서 문맥상 '어떤 ~이든'의 의미를 나타내야 하므로 what을 복합관계형용사 whatever로 수정

ⓓ an unpredictable world를 선행사로 받으면서 뒤에 완전한 절이 오고 그 절에서 in an unpredictable world가 되므로 「전치사+관계대명사」 in which 또는 관계부사 where로 수정

ⓕ is bothering them은 주어가 없는 불완전한 구조이고 이 절이 '그들을 괴롭히는 것이 무엇이든지'라는 의미를 나타내야 하므로 복합관계부사 whenever를 복합관계대명사 whatever로 수정

어휘 additional 추가적인 unpredictable 예측할 수 없는 complex 복잡한 fundamental 근본적인 thrive 번창하다 bother 괴롭히다

9 **해설** (1) 장소를 나타내는 관계부사 where, 주어 he, 동사 captured, 목적어 scenes, 부사구 from the Korean War 순으로 배열

(2) '~하는 것은 무엇이든지'의 의미를 나타내는 복합관계대명사 whatever, 주어 you, 동사 learn, 부사 there의 순으로 배열

(3) '아무리 ~해도'의 의미를 나타내는 복합관계부사 however, 형용사 high, 주어 the mountain, 동사 is의 순으로 배열

어휘 the Marine Corps 해병대

10 **해석** George는 엔지니어링 회사의 안전 관리자이다. 그의 임무 중 하나는 작업자들이 현장에서 작업을 할 때마다 안전모를 쓰는지 확인하는 것이다. 안전모를 쓰고 있지 않은 작업자들을 만날 때마다 그는 단호한 목소리로 그들에게 규정을 따라야 한다고 말했다고 보고했다. 그 결과 작업자들은 그가 말한 대로 했지만, 그가 떠난 직후 안전모를 벗곤 했다.

해설 • '~할 때마다'의 의미를 나타내는 복합관계부사 whenever를 사용해야 함.

• 문장의 주절이 과거 시제이므로 that절의 동사는 과거 또는 과거완료가 되어야 하는데 같은 시제상의 일을 말하므로 과거형을 씀. 따라서 동사구를 came across로 바꿈.

• workers를 수식하는 주격 관계대명사절 필요. 관계대명사 who 또는 that 사용

• 관계대명사절의 동사 역시 과거 시제이어야 하고 '안전모를 쓰고 있지 않았다'라는 진행의 의미를 나타내야 하므로 were not wearing hard hats로 바꿈.

어휘 supervisor 관리자 come across 마주치다 firm 단호한

GRAMMAR POINT 11

가정법

어법 확인 p. 67

A

1 × 2 × 3 ○ 4 × 5 ○

B

1 had read 2 would rise 3 were falling
4 would have been 5 were given

C

1 ⓐ → didn't have
2 ⓒ → had seen
3 ⓓ → could get

A

해석

1 고등학교를 그만둔다면 무엇을 하겠습니까?
2 오존층이 없다면 지구는 생명체가 없는 척박한 곳이 될 것이다.
3 새가 없었다면 이 세상은 해충들로 가득 차 있었을 텐데.
4 고등학생 때 일본어 대신 독일어를 공부했다면 좋았을 텐데.
5 어제 숙제를 했다면 지금 혼나고 있지는 않을 텐데.

해설

1 주절의 동사가 would do로 가정법 과거이므로 조건절도 가정법 과거가 되도록 과거형이 와야 함. drop → dropped
2 If it were not for는 가정법 과거에 쓰이므로 주절도 가정법 과거 「조동사 과거형+동사원형」이 와야 함. will be → would be
어휘 barren 척박한
3 Without 가정법은 가정법 과거와 과거완료 둘 다 Without으로 시작하는 부사구임. 이 문장의 경우 If it had not been for birds,로 바꿔 쓸 수 있음.
4 주절이 현재보다 선행하는 시점(When I was in high school)의 일을 소망하므로 가정법 과거완료가 되어야 함. studied → had studied
5 조건절은 어제를 가정하고 있지만(가정법 과거완료) 주절은 현재 now를 가정하는(가정법 과거) 혼합가정법 형태

B

해석

1 내가 더 어렸을 때 책을 더 많이 읽었다면 좋았을 텐데.
2 남극의 얼음이 모두 녹는다면 전 세계의 해수면 높이는 200피트 가량 상승할 텐데.
3 마치 하늘에서 꽃이 떨어지는 것처럼 눈이 내리고 있다.
4 그때 내 컴퓨터가 고장 나지 않았다면 내 보고서는 어젯밤에 다 완성되었을 텐데.
5 내게 한 번 기회가 더 주어진다면 그렇게 부주의하지 않을 텐데.

해설

1 주절이 과거에 하지 못했던 일을 소망하므로 I wish 가정법 과거완료가 되어야 함.
|TIP| 가정법으로 쓰인 주절의 시제와 직설법으로 쓰인 when절의 시제를 비교해서 when절의 시제를 기준으로 가정법 주절의 시제 결정
2 조건절의 동사가 melted로 가정법 과거이므로 주절도 가정법 과거가 되도록 「조동사 과거형+동사원형」이 되어야 함.
어휘 Antarctic 남극(의) sea level 해수면
3 주절과 같은 시점인 현재 일을 가정하고 있으므로 as if 가정법 과거가 되어야 함.
4 조건절이 과거(then)를 가정하고, 주절 역시 과거(last night)를 나타내고 있으므로 주절의 동사는 가정법 과거완료 「조동사 과거형+have p.p.」가 되어야 함.
5 주절의 동사가 wouldn't be로 가정법 과거이므로 조건절도 가정법 과거가 되어야 함.

C

해설

1 ⓐ 현재의 일을 가정하므로 가정법 과거가 되어야 함. 따라서 조건절의 동사를 동사 과거형으로 바꿔야 함.
2 ⓒ that절이 내용상 과거이어야 하므로 가정법 과거완료가 되어야 함. 따라서 조건절의 동사를 과거완료(had p.p.) 형태로 바꿔야 함.
3 ⓓ 과거 행위가 현재에 결과를 미치는 혼합가정법이므로 주절은 가정법 과거이어야 함. 따라서 동사를 「조동사 과거형+동사원형」으로 바꿔야 함.

서술형 연습 p. 68

기출 예제 해석

Rangan은 아침 일찍 자신의 자전거 가게를 열었다. 그 전날 그는 고열로 몸져누워 있었기 때문에 일하러 올 수 없었다. 하지만 오늘 그는 자신의 가족을 위해 돈을 벌려고 가게에 나왔다. 진한 차 한 잔을 위해 옆 가게의 차 심부름 소년을 부르며, 그는 수리해야 할 모든 자전거를 밖에 줄 세워 놓았다.

대표 유형 연습 + 빈출 유형 연습

1 I knew how to play the musical instrument, I could participate in the music talent contest / 내가 악기를 연주할 수 있다면 음악 재능 대회에 참가할 수 있을 텐데.
2 they hadn't experienced their customers' discomfort, their business wouldn't have been able to achieve good results / 그들이 그들 고객의 불편함을 경험하지 않았더라면 그들의 사업이 훌륭한 성과를 낼 수 없었을 텐데.
3 (1) it had not been for the experiences of failure Claire had when she was young, she would be very arrogant now
(2) it were not for smartphones, our lives would be less exciting
4 as if someone was dropping pennies on the roof
5 ⑤ → would be horrified
6 Our children would be horrified if they were told they had to go back to their grandparents' culture. / If our children were told they had to go back to their grandparents' culture, they would be horrified.

1 **해석** 나는 악기를 연주하는 법을 알지 못해서 음악 재능 대회에 참가할 수 없다.
해설 문장의 시제가 현재이므로 가정법 과거로 전환. 직설법의 두 절이 모두 부정문이므로 가정법 문장에서는 조건절과 주절 모두 긍정문으로 바꿔야 함.

2 **해석** 그들이 그들 고객의 불편함을 경험했기 때문에 그 사업이 훌륭한 성과를 낼 수 있었다.
해설 직설법 과거 문장이므로 과거 사실의 반대를 나타내는 가정법 과거완료로 바꿔야 함. 직설법 문장이 이유 부사절과 주절 모두 긍정문이므로 가정법 문장에서는 조건절과 주절 모두 부정문으로 바꿔야 함.

3 **해석** (1) Claire가 어릴 적 겪었던 실패의 경험이 없었다면 그녀는 지금 매우 오만했을 것이다.
(2) 스마트폰이 없다면 우리 삶은 덜 재미있을 것이다.
해설 (1) 가정하는 상황(when she was young)이 과거이고 이것이 현재(now)에 영향을 주는 혼합가정법 형태이므로 But for를 가정법 과거완료의 조건절로 바꿔야 함.
(2) 현재 사실에 반대되는 가정이므로 Without을 가정법 과거의 조건절로 바꿔야 함.

4 **해석** 천둥은 더 큰 소리를 내면서 다시 우르르 울렸다. 그러고 나서 천천히, 하나하나씩, 마치 누군가가 지붕에 동전을 떨어뜨리고 있는 것처럼 빗방울이 떨어졌다.
해설 빗방울이 떨어지는 것을 누군가 지붕에 동전을 떨어뜨리는 것에 비유한 것으로 빈칸의 절 역시 문장의 시제인 과거와 시점이 동일하므로 「as if 가정법 과거」로 써야 함. 동전(penny)이 복수형으로 쓰여야 하므로 pennies로 바꿈.
|TIP| as if 가정법 과거: 주절과 같은 시점
as if 가정법 과거완료: 주절보다 선행하는 시점

[5~6] **해석** 한 문화가 다른 문화보다 나은지를 결정하는 방법을 알기는 어렵다. 록, 재즈, 고전 음악의 문화적인 순위는 어떻게 될까? 문화적 변화가 더 나아지는 것인지 더 나빠지는 것인지에 관한 여론 조사에 대해 말하면, 앞을 내다보는 것과 뒤돌아보는 것은 아주 다른 대답으로 이어진다. 우리 아이들은 그들이 그들 조부모의 문화로 돌아가야 한다는 말을 들으면 겁이 날 것이다. 그리고 우리 부모님은 손주의 문화에 참여해야 한다고 들으면 겁이 날 것이다.

5 **해설** ⑤ 부모들이 그들의 손주 문화에 참여하는 것은 현재 사실에 대한 가정이므로 가정법 과거이며 가정법 과거 주절의 동사는 「조동사 과거형+동사원형」

6 **해설** 가정법 조건절의 동사는 과거형으로 써서 '~해야 했다'라는 뜻의 had to를 붙여 had to go back to로 씀. 가정법 주절의 동사 horrify는 '겁이 나게 됐다'라는 뜻이 되도록 would be horrified로 바꿔 씀.

내신 대비 문제

p. 70

1 ③ 2 ②, ④ 3 ②, ③ 4 ④ 5 ⑤ 6 ④
7 ① → would fail 8 ③ → had written
9 If the check had been enclosed, would they have responded so quickly?

1 **해석** ① 당신이 내게 거짓말했던 것을 몰랐기 때문에 나는 당신에게 그것을 줬다.
→ 당신이 내게 거짓말한 것을 알았었다면 나는 당신에게 그것을 주지 않았을 텐데.
② 그가 충분히 유능하지 않기 때문에 나는 그를 고용할 수 없다.
→ 그가 더 유능한 사람이라면 내가 그를 채용할 텐데.
③ 당신의 때맞춘 조언 덕분에 나는 그 프로젝트를 끝낼 수 있었다.
→ 당신의 때맞춘 조언이 없다면 나는 그 프로젝트를 끝마치지 못했을 텐데.
④ 사실, 그는 요트를 살 만큼 부자는 아니지만 그것을 살 수 있는 것처럼 행동한다.
→ 그는 마치 요트를 충분히 살 만큼 부자인 듯 행동한다.
⑤ 나는 아침을 걸렀기 때문에 지금 배가 고프다.
→ 내가 아침을 먹었다면 지금 배가 고프지 않을 텐데.
해설 ③ 조언 덕분에 프로젝트를 끝낼 수 있었다는 과거 사실의 반대를 나타내야 하므로 가정법 과거완료가 되어야 함. were not → had not been

2 **해석** ① 공짜 식사가 어디에나 있다면 아무도 굶지 않을 텐데.
② 달이 지구보다 더 크다면 어떤 일이 벌어질까요?
③ 그때 내가 서둘렀다면 마지막 열차를 놓치지 않았을 텐데.
④ Mei가 검정색 조약돌을 뽑으면, 그녀 아버지의 빚이 탕감될 텐데.
⑤ 네가 오는 줄 알았었다면 공항으로 너를 데리러 갔을 텐데.
해설 ② 현재 사실에 반대되는 내용에 대한 가정이므로 가정법 과거 조건절에 동사 과거형을 써야 함. is → were(was)
④ 현재 사실에 대한 가정이므로 가정법 과거가 되어야 함. would have been forgiven → would be forgiven

3 **해석** ① 내가 초등학교 때 악기를 배웠다면 좋았을 텐데.
② 너를 위한 더 많은 시간이 있으면 좋겠지만, 나는 참석해야 할 중요한 모임이 있다.
③ 안경이 없다면 나는 작은 글씨를 읽을 수 없을 텐데.
④ Amy는 James보다 나이가 많았지만 그녀는 마치 14살로 보였다.
⑤ 네 전화가 아니었다면 나는 오늘 아침에 늦잠을 잤을 텐데.
해설 ② 소망하는 시점과 가정하는 시점이 동일하므로 가정법 과거가 되어야 함. have → had
③ 현재 안경이 없으면 읽을 수 없다는 현재 사실을 가정하므로 가정법 과거로 바꿔야 함. Had it not been for → Were it not for

4 **해석** 언덕 위에 있는 오래된 집은 오랫동안 그 곳에서 아무도 살지 않았던 것처럼 보였다.
해설 ④ 주절의 과거 시제보다 더 이전 일을 나타내야 하므로 「as if+가정법 과거완료」 구문을 써서 과거 사실의 반대를 가정

5 **해석** 인상주의 화가의 그림은 아마도 가장 인기가 있다. 즉, 그것은 보는 사람에게 그 형상을 이해하기 위해 열심히 노력할 것을 요구하지 않는 쉽게 이해되는 예술이다. 인상주의는 여름의 장면과 밝은 색깔이 눈길을 끄는 동시에 보기에 '편하다'. 그러나 이 새로운 그림 방식은 그것이 만들어지는 방법뿐 아니라, 보이는 것에 있어서도 대중들에게 도전적이었다는 것을 기억하는 것이 중요하다. 그들은 이전에 그렇게 '형식에 구애받지 않는' 그림을 본 적이 결코 없었다. 캔버스의 가장자리는 마치 카메라로 스냅 사진을 찍는 것처럼, 임의적으로 장면을 잘랐다. 그 소재는 기찻길과 공장과 같은 풍경의 현대화를 포함했다.
해설 ⑤ 실제로 카메라로 스냅 사진을 찍은 것이 아니라 인상주의 그림의 특징을 설명하기 위해 가정한 것으로 장면을 잘랐다는 내용의 주

절이 과거이고 as if가 이끄는 절의 시점이 주절보다 앞서므로 가정법 과거완료이어야 함. has been snapped → had been snapped

어휘 impressionist 인상파[인상주의] 화가 arbitrary 임의적인 appropriate 적절한

6 해석 우리가 만약 아무것도 변하지 않는 행성에서 산다면, 할 일이 거의 없을 것이다. 이해해야 할 것도 없을 것이고 과학을 해야 할 이유도 없을 것이다. 그리고 우리가 만약 현상들이 임의적이거나 매우 복잡한 방식으로 변하는 예측 불가능한 세상에서 산다면, 우리는 그 현상들을 이해할 수 없을 것이다. 이번에도 과학 같은 것은 없을 것이다. 그러나 우리는 현상들이 변하지만, 법칙에 따라 변하는, 그 중간의 우주에 살고 있다. 만약 내가 막대기를 공중으로 던지면 그것은 항상 아래로 떨어진다. 그래서 현상들을 이해하는 것이 가능하게 된다.

해설 (A), (B) 현재 사실에 반대되는 상황을 가정하는 가정법 과거
(C) 법칙에 따라 현상이 변하는 실제 우리가 사는 세상에 대한 예시인 조건절이므로 현재 시제

어휘 unpredictable 예측할 수 없는 according to ~에 의하면

7 해석 우리가 빨간색과 녹색 물감을 섞어서 노란색을 만들려고 한다고 가정해 보자. 우리가 그 물감들을 함께 섞는다면, 의도된 결과를 얻는 데에 실패하고, 아마 그 대신 불그스름한 색을 얻게 될 것이다. 이것은 물감들이 함께 섞여 빛에 주는 그것들의 효과가 서로 간섭했기 때문이다. 그러나 빨간색이 많은 작은 물감의 점들로 칠이 되었다고 가정해 보자. 멀리서 보면 그것은 완전한 빨간색처럼 보일 것이다. 이와 유사하게, 녹색은 빨간 점들과 절대 서로 겹치지 않게 하면서, 같은 종이 위에 많은 작은 점들로 칠이 될 수 있다. 멀리서 보면, 눈은 빨간 빛과 녹색 빛의 혼합을 받아들이게 될 것이다.

해설 ① 가정법 과거 문장이므로 주절의 동사는 「조동사의 과거형+동사원형」이 와야 함.

[8~9] 해석 20세기 초의 대단한 사업가 Andrew Carnegie가 한 번은 자신의 누이가 두 아들에 대해 불평하는 것을 들었다. 그들은 집을 떠나 대학을 다니면서 좀처럼 그녀의 편지에 답장을 하지 않았다. Carnegie는 "내가 그들에게 편지를 썼으면 즉각 답장을 받았을 텐데"라고 그녀에게 말했다. 그는 두 통의 훈훈한 편지를 그 아이들에게 보냈고, 그들 각각에게 100달러짜리 수표를 보내게 되어 기쁘다고 그들에게 말했다. 그리고 나서 그는 편지들을 부쳤지만 수표들을 동봉하지는 않았다. 며칠 이내에 그는 두 아이들로부터 훈훈한 감사의 편지를 받았고, 그들은 그들의 편지 말미에 그가 유감스럽게도 수표를 넣는 것을 잊었다고 적었다. 그 수표가 동봉되어있었다면, 그들은 그렇게 빨리 답장을 보냈을까?

8 해설 ③ 주절이 가정법 과거완료(조동사+have+p.p.) 형태가 쓰였으므로 If절도 had p.p. 형태의 had written으로 와야 함.

9 해설 과거 사실에 반대되는 내용을 가정하고 있으므로 가정법 과거완료를 사용한 의문문으로 써야 함. if절의 동사는 the check(수표)가 동봉되는 수동의 의미를 나타내야 하므로 been enclosed가 되어야 함. 의문문이 되어야 하므로 주절은 「조동사 과거형+주어+have p.p.」의 어순으로 써야 함.

5형식 / 가주어·가목적어 it

어법 확인 p. 73

A
1 ○ 2 × 3 × 4 ○ 5 ○

B
1 warm 2 to cross, crossing
3 move, moving 4 for you 5 to stick

C
1 It seems that the manager asks guests
2 the students memorize all the words
3 asked a group of volunteers to count
4 was made to pay for
5 it a rule to wake up at 7:00 o'clock

A

해석

1 우리는 소포가 더 일찍 도착하기를 기대했다.
2 그녀의 따뜻한 환대가 우리를 편안하게 했다.
3 나는 누군가가 내 머리카락을 만지는 것을 느꼈다.
4 Jason이 어제 지붕을 수리했다.
5 Sam은 새 학교에서 친구를 사귀는 것이 그렇게 쉽지 않다는 것을 알게 되었다.

해설

1 expect는 목적격 보어로 to부정사 취함.
2 사역동사 make는 목적어와 목적격 보어가 능동 관계일 때 목적격 보어로 동사원형 취함. to feel → feel
3 지각동사는 목적어와 목적격 보어가 능동 관계일 때 목적격 보어로 동사원형이나 현재분사 취함. touched → touch / touching
| TIP | 현재분사의 경우 진행의 의미 추가됨.
4 사역동사는 목적어와 목적격 보어가 수동 관계일 때 목적격 보어로 과거분사 취함.
5 가목적어 it이 쓰인 문장에서 목적격 보어는 형용사나 명사가 사용됨. not so는 easy를 수식하는 수식어구일 뿐 목적격 보어가 아님.

B

해석

1 당신은 초콜릿을 따뜻하게 두지 말아야 하는데, 그렇지 않으면 그것이 녹을 것이다.
2 그녀가 거리를 걷고 있는 것이 보였다.
3 나는 벽을 따라 무엇인가가 천천히 움직이고 있는 것을 보았다.
4 당신은 고등학교 생활에 적응하기가 어려운가요?
5 게으름은 목표를 지키는 것을 거의 불가능하게 만든다.

해설

1 keep은 목적격 보어로 형용사 취함.
2 지각동사의 수동태에서는 목적격 보어인 동사원형을 to부정사로 바꿈.
3 지각동사 saw는 목적격 보어로 동사원형과 현재분사 둘 다 취함.

4 가주어 it이 쓰인 문장에서 진주어 to부정사의 의미상 주어는 대개 「for+목적격」

|TIP| 가주어 it이 쓰인 문장의 보어(형용사)가 사람의 성격을 나타내는 경우 진주어 to부정사의 의미상 주어는 「of+목적격」

어휘 adapt 적응하다

5 가목적어 it의 진목적어는 to부정사구, 동명사구, 명사절 등 명사 상당 어구(절)

C

해석

1 식당에서 시끄럽게 하지 말아 달라고 매니저가 손님들에게 요청하는 것 같다.

2 선생님은 학생들이 그 책의 모든 단어를 외우게 했다.

3 그는 한 그룹의 지원자들에게 그 농구팀이 공을 패스한 횟수를 세어 달라고 부탁했다.

4 그는 깨진 유리창에 대한 값을 지불하게 되었다.

5 나는 아침 7시에 일어날 것을 규칙으로 정했다.

해설

1 「It seems that+주어+동사」 어순

2 「사역동사+목적어+목적격 보어(동사원형)」 어순

3 「ask+목적어+목적격 보어(to부정사)」 어순

4 사역동사의 수동태는 「be동사+p.p.+to부정사」

5 「make+가목적어 it+목적격 보어(명사)+진주어 to부정사」 어순

어휘 「make it a rule to+부정사」 ~을 규칙으로 삼다

서술형 연습 p. 74

기출 예제 해석

여러분의 미래는 여러분의 과거가 아니고 여러분에게는 더 나은 미래가 있다. 여러분은 과거를 잊고 놓아주기로 결심해야 한다. 여러분이 과거의 경험으로 하여금 여러분을 지배하도록 허락할 때만 그것이 현재의 꿈을 훔친다.

대표 유형 연습 + 빈출 유형 연습

1 can watch people perform (performing)
2 is not easy to distinguish
3 The rocks make it impossible for me to roll
4 (1) seemed that her heart skipped a beat
(2) seemed to pass faster for the older group
5 The apes were made to help the experimenters by the manager.
6 (B) did not help the first experimenter (to) open the second box
(C) see the second experimenter move(moving) the item
7 ④ → to understand
8 called the first automobile a "horseless" carriage

1 해석 인적이 없는 거리 또는 활기찬 거리를 걷는 것의 선택에 직면하면, 대부분의 사람들은 생활과 활동이 있는 거리를 선택할 것이다. 우리가 사람들이 공연하는 것을 볼 수 있는 행사는 많은 사람들을 끌어 모아 머무르게 할 것이다.

해설 「주어(we)+조동사(can)+5형식 동사(watch)+목적어(people)+목적격 보어(perform/performing)」

2 해석 도마뱀의 한 종류인 척왈라 수컷과 암컷을 구별하는 것은 쉽지 않다. 이것은 어린 수컷은 암컷처럼 보이고, 가장 큰 암컷은 수컷과 유사하기 때문이다.

해설 가주어 It, 진주어 to부정사가 쓰인 문장이 되어야 하므로 distinguish를 to distinguish로 바꿔야 함. 「가주어(It)+동사(is)+보어(not easy)+진주어(to distinguish)」

3 해석 저희는 공원을 관통하는 그 아름다운 산책로가 그녀에게는 거의 지나갈 수 없는 것임을 압니다. 산책로는 금이 가 있고 돌로 어지럽혀져 있습니다. 그 돌들은 제가 이곳에서 저곳으로 그녀의 휠체어를 밀어주는 것을 불가능하게 합니다.

해설 5형식 동사, 가목적어 it, 의미상 주어, 목적격 보어가 쓰인 문장이 되어야 하므로 roll을 to roll로 바꿔야 함. 「주어(The rocks)+5형식 동사(make)+가목적어(it)+목적격 보어(impossible)+의미상 주어(for me)+진목적어(to roll)」

4 해석 (1) 그녀의 심장이 박동을 놓친 것 같았다.
(2) 시간은 나이가 더 많은 사람들에게는 더 빨리 가는 것 같았다.

해설 (1) 「주어+seem(s)+to부정사」는 「It seems+that절」로 바꿔 쓸 수 있음. to부정사가 단순 부정사이므로 동사의 시제(과거)에 일치시킴.

(2) 「It seemed+that절」은 「주어+seemed+to부정사」로 바꿔 쓸 수 있음. that절의 동사를 주절의 시제(과거)와 일치하므로 단순 부정사로 바꿈.

[5~6] 해석 매니저는 유인원들이 실험자들을 돕도록 만들었다. 하지만 이 실험에서 대부분의 유인원들은 첫 번째 실험자가 방에 계속 있어서 두 번째 실험자가 물건을 옮기는 것을 본 경우에는 첫 번째 실험자가 두 번째 상자를 열도록 돕지 않았다.

5 해설 목적어였던 the apes를 주어로, 동사구를 「be동사+p.p.+to부정사구」로 바꾼 뒤 주어를 「by+목적격」 형태로 씀.

6 해설 (B) 준사역동사 help는 목적격 보어로 동사원형 또는 to부정사를 취함. 「help+목적어+동사원형(to부정사)」 어순

(C) 지각동사는 목적격 보어로 동사원형이나 현재분사를 취함. 「see+목적어+동사원형(현재분사)」 어순

|TIP| 지각동사의 목적어와 목적격 보어의 관계가 수동인 경우 목적격 보어로 과거분사 사용

[7~8] 해석 소비자들은 일반적으로 새롭고 특이한 것이 이전의 것과 연결되지 않으면 주의를 기울이지 않는다. 그것이 당신이 진짜 새로운 제품을 가지고 있다면 그것이 무엇인지보다는 무엇이 아닌지를 말하는 것이 대체로 나은 이유이다. 예를 들어 최초의 자동차는 그 회사에 의해 '말이 없는' 탈 것이라고 불렸으며, 이 명칭은 대중이 기존에 존재하는 운송 방식과 대조하여 그 개념을 이해하도록 해 주었다.

7 해설 ④ allow는 목적격 보어로 to부정사 사용

8 해설 5형식 수동태 문장을 능동태로 바꿔야 하므로 by 뒤의 목적어를 주어로, 동사 was called를 문장의 시제에 맞춰 과거 능동형 called로 바꿈. 그 뒤에 목적어 the first automobile과 보어 a "horseless" carriage를 씀. 원래 수동태 문장의 「be동사+p.p.」 다음에 목적격 보어가 있음.

|TIP| call은 목적격 보어로 명사 취함.

내신 대비 문제 p. 76

1 ② 2 ③ 3 ③ 4 ① 5 ⑤ 6 ⑤ 7 ③
8 (1) × → makes it easy for you to memorize
(2) × → that scientists do not avoid this process
(3) × → were seen to be playing
(4) × → impossible for a creature to live without oxygen
9 helps you (to) see the world differently
10 a brand new cell phone sitting right next to me
11 feel

1 해석 ① 오늘 무엇을 해야 할지 아는 것이 중요하다.
② 그들은 영어를 배우는 것이 어렵다는 것을 알았다.
③ 그녀는 그가 그녀의 아이디어를 빼앗은 것을 불공평하다고 생각했다.
④ Tom은 매일 저녁 영어 공부할 것을 규칙으로 정했다.
⑤ 그 당시에는 사람들이 퇴근한 후에 TV 뉴스를 보는 것이 중요했다.
해설 ② 「find+가목적어 it+목적격 보어+진목적어(to부정사)」 어순이 되어야 함. found difficult → found it difficult

2 해석 ① 그는 설거지를 하게 되었다.
② 그들은 그가 길을 건너는 것을 보았다.
③ Sue는 그 지붕을 고칠 예정이다.
④ 비가 호수를 범람하게 했다.
⑤ 그들은 나에게 그 과제를 하도록 강요했다.
해설 ③ get은 목적격 보어로 목적어와 목적격 보어가 능동 관계일 경우 to부정사, 수동 관계일 경우 과거분사 사용. 지붕이 고쳐지는 수동 관계이므로 과거분사가 되어야 함. repair → repaired

3 해석 그녀는 열심히 듣고 있는 것 같았다. Angela가 끝냈을 때, 그녀는 고개를 끄덕이고 나서 미소 지었다.
해설 밑줄 친 부분의 시제가 과거이고 to부정사 진행형이 쓰였으므로 that절로 바꿔 쓸 때 과거 시제(seemed)가 되고 that절 동사는 과거 진행형이 됨.
어휘 intently 열심히 nod 끄덕이다

4 해석 ① 그는 영화 자막을 읽는 것이 어렵다는 것을 알았다.
② 이 센터의 구성원이 된 것이 네게 큰 만족감을 준다.
③ 젊은 사람들이 자신의 소득의 40%를 저축한다는 것이 보고되었다.
④ 당신 애완동물의 특정한 욕구를 알아차리는 것이 중요하다는 것을 기억하라.
⑤ 누군가 그의 작품에 나쁜 코멘트를 한다는 것은 상상할 수 없다.
해설 ① 진목적어(to부정사구)
②, ④ 진주어(to부정사구), ③, ⑤ 진주어(that절)

5 해석 10분 간의 노출 동안 카메라에 서서히 바닷물이 차게 되었지만 사진은 온전했다. 수중 사진술이 탄생한 것이다. 물이 맑고 충분한 빛이 있는 수면 근처에서는 아마추어 사진작가가 저렴한 수중 카메라로 멋진 사진을 찍을 가능성이 상당히 높다.
해설 ⑤ 가주어 it의 진주어이므로 take를 to take로 고쳐야 함.

6 해석 사진에는 방금 결혼한 커플이 있다. 신랑은 거인처럼 커 보인다. 그는 신부를 한 손으로 들어 올리고 있는 것처럼 보인다. 오늘날에는 사진 편집 프로그램들이 이런 종류의 사진을 만드는 것을 쉽게 하지만 이를 위한 훨씬 덜 발전된 방법이 있다. 바로 인위적 원근법 기술이다. 신랑을 카메라 가까이에 위치시킴으로써 그는 보는 사람들에게 거인처럼 커 보이게 된다.
해설 ⑤ 사역동사 make의 수동태 문장이므로 「(조동사)+be made+to부정사」의 형태가 되어야 함. look → to look

7 해석 ⓐ 우리는 여러분에게 따뜻한 옷, 담요, 그리고 돈을 기부해 주실 것을 요청합니다.
ⓑ 나는 손 하나가 문 사이로부터 나오는 것을 봤다.
ⓒ 각각 귀의 크기가 다른 것은 올빼미가 소리들을 구별하는 데 도움을 준다.
ⓓ 기술은 성급한 반응으로 상황을 악화시키는 것을 더 쉽게 한다.
ⓔ 선생님은 학생들에게 시험을 준비하라고 말했다.
ⓕ 이것은 아이들이 실수할 때 무기력하게 느끼게 한다.
해설 ⓐ ask는 목적격 보어로 to부정사 취함. donating → to donate
ⓓ 사역동사 make의 진목적어(to부정사)가 뒤에 있으므로 make 뒤에 가목적어 it이 와야 함.
ⓕ 목적어(kids)와 목적격 보어(feel)이 능동 관계이므로 목적격 보어는 동사원형이어야 함. felt → feel
어휘 owl 올빼미 distinguish 구별하다

8 해석 (1) 여러분은 그 정리된 물건을 반복적으로 봤고, 카테고리에 의한 배열은 여러분이 그 가게의 배치를 기억하기 쉽게 해준다.
(2) 동료 검토 체제가 작동하려면, 과학자들이 이 과정을 회피하지 않는 것이 중요하다.
(3) 두 어린아이들이 진흙탕에서 놀고 있는 것이 보였다.
(4) 생명체가 산소 없이 사는 것은 거의 불가능하다.
해설 (1) 5형식 동사 make와 가목적어 it, 의미상 주어가 쓰인 구문 「5형식 동사(makes)+가목적어(it)+목적격 보어(easy)+의미상 주어(for you)+진목적어(to memorize)」
(2) 가주어 it, 진주어 that절로 이루어진 문장 「가주어(it)+동사(is)+보어(important)+진주어(that scientists do not avoid this process)」
(3) 지각동사의 수동태 「be동사+지각동사 p.p.+to부정사」
(4) 「가주어(it)+be동사(is)+보어(almost impossible)+의미상 주어(for a creature)+진주어(to live without oxygen)」 어순. 의미상 주어는 대개 「for+목적격」의 형태이며 진주어는 to부정사구나 that절 등 명사의 형태여야 함.

9 해설 준사역동사 help 뒤에 목적어, 목적격 보어의 순서로 써야 하며 목적격 보어는 동사원형이나 to부정사를 쓸 수 있음.

[10~11] 해석 나는 바로 내 옆에 새로 출시된 휴대 전화가 놓여 있는 것을 보았다. 나는 운전사에게 "바로 전에 탔던 사람을 어디에 내려 주었나요?"라고 물으며 전화기를 그에게 보여 주었다. 그는 길을 걷고 있는 젊은 여자를 가리켰다. 우리는 그녀에게로 갔고 나는 창문을 내리고 그녀에게 소리쳤다. 그녀는 매우 고마워했고 그녀의 얼굴 표정으로 나는 그녀가 얼마나 고마워하는지 알 수 있었다. 그녀의 미소는 나를 정말 좋은 기분이 들게 했다.

10 해설 「지각동사(saw)+목적어(a brand new cell phone)+목적격 보어(sitting)+부사구(right next to me)」 어순으로 배열

11 해설 사역동사 made는 목적어와 목적격 보어의 관계가 능동일 때 목적격 보어로 동사원형 취함.

GRAMMAR POINT 13

도치 · 강조 · 생략

어법 확인

p. 79

A

1 was sitting the man 2 did I expect
3 It 4 myself 5 seasoning

B

1 was I, gave her a birthday gift in the restaurant last night
2 was to her, I gave a birthday gift in the restaurant last night
3 was a birthday gift, I gave her in the restaurant last night
4 was in the restaurant, I gave her a birthday gift last night
5 was last night, I gave her a birthday gift in the restaurant

C

1 herself
2 Hardly did I hear
3 my mom were an elderly lady and a girl
4 they were encountering mammoths

A

해석

1 군중 속에 그 남자가 앉아 있었다.
2 내가 그 영화배우를 만날 것이라고 거의 기대하지 못했다.
3 소문을 퍼뜨린 것은 바로 내 여동생이었다.
4 바로 내가 자전거를 수리했다.
5 양념을 할 때, 반드시 후추를 사용하세요.

해설

1 「장소 부사구+동사+명사 주어」
2 부정어가 문두에 오고 동사가 일반동사인 경우, 「부정어+조동사 do+주어+동사원형」 과거 시제이므로 조동사는 did
3 「It is(was) ~ that」 강조구문
어휘 spread 퍼뜨리다
4 재귀대명사의 강조용법
5 부사절과 주절의 주어가 같고 부사절의 동사가 be동사인 경우 「주어+be동사」 생략 가능
어휘 season 양념하다

B

해석

1 그녀에게 어젯밤 그 식당에서 생일 선물을 준 사람은 나였다.
2 내가 어젯밤 그 식당에서 생일 선물을 준 사람은 그녀였다.
3 내가 그녀에게 어젯밤 그 식당에서 준 것은 생일 선물이었다.
4 내가 그녀에게 어젯밤 생일 선물을 준 곳은 그 식당이었다.
5 내가 그 식당에서 그녀에게 생일 선물을 준 때는 어젯밤이었다.

해설

[1~5] It is(was) ~ that 강조구문에서 강조할 어구(주어, 목적어, 부사구)를 It is(was) ~ that 사이에 위치시킴. 간접 목적어를 강조할 때는 '~에게'의 뜻을 가지는 전치사를 앞에 씀.
|TIP| be동사의 시제는 동사 시제에 일치시킴.

C

해석

1 다른 사람이 아닌 Mary가 그 차를 수리했다.
2 나는 Eugene이 친구들에게 나쁜 말을 하는 것을 거의 듣지 못했다.
3 노부인과 한 소녀가 엄마 뒤에 있었다.
4 고대 사람들은 매머드를 마주쳤을 때 겁먹었음에 틀림없다.

해설

1 재귀대명사의 강조용법
2 「부정어+조동사+주어+동사원형」 과거 시제이므로 조동사는 did
3 「장소 부사구+동사+명사 주어」
4 부사절에서 생략된 「주어+be동사」를 복구하여 「접속사+주어+be동사」의 원래 형태로 씀.
어휘 encounter 마주치다 mammoth 매머드 (코끼릿과의 화석 포유류)

서술형 연습

p. 80

기출 예제 해석

비록 사회과학자들이 사회적 발전을 이루기 위해 마땅히 따라야 할 절차를 발견한다 할지라도 그들은 좀처럼 사회적 행동을 통제할 위치에 있지 않다. 그 점에서는 심지어 독재자들도 사회를 변화시키는 자신들의 권력에 한계가 있다는 것을 알게 된다.
어휘 procedure 절차, 순서 reasonably 타당하게, 합리적으로 seldom 좀처럼 ~않다 dictator 독재자

대표 유형 연습 + 빈출 유형 연습

1 did I consider being class president before
2 when he placed a second prism in the path of the spectrum, did Newton find something new
3 herself
4 (1) In love, it is trust that is most important.
(2) In the last match, it was the winning goal that Amy scored.
(3) When buying products, it is the price that you should look for.
5 is some government agency directing them to satisfy your desires
6 (A) and they get trapped by them
(B) when you are faced with the same situation

1 해석 오늘 선생님이 학급회장 선거가 곧 열린다고 말씀하셨다. 나는 이전에 학급회장이 되는 걸 생각해 본 적이 없었다. 그렇

지만 올해는 수줍은 성격을 극복하기 위해 뭔가를 하고 싶어서 학급회장이 되는 것에 대해서 생각해 보기 시작했다.

해설 부정어(Never)가 문두에 오고 주어가 I, 동사가 일반동사(consider)이므로 「부정어+did+주어+동사원형」의 어순으로 도치

2 해석 Newton이 새로운 것을 발견한 것은 스펙트럼의 경로에 두 번째 프리즘을 놓았을 때였다. 합성된 색은 흰 빛줄기를 만들어 냈다. 그래서 그는 스펙트럼 색을 혼합함으로써 백색광이 만들어질 수 있다고 결론 내렸다.

해설 「only+부사절 도치」 구문에서는 주절에서 주어, 동사 도치가 일어나고 주절의 동사가 일반동사 과거형이므로 주절을 「did+주어+동사원형」의 어순으로 도치

3 해석 Serene의 어머니는 자기 자신이 Serene의 나이였을 때 성공해 내기 전에 여러 번 시도했다고 말했다.

해설 not anyone else가 she를 강조하므로 강조용법의 재귀대명사 herself

4 해석 (1) 사랑에서 신뢰가 가장 중요하다.
(2) 마지막 경기에서 Amy가 결승골을 득점했다.
(3) 제품을 구입할 때 가격을 살펴보아야 한다.

해설 It is(was) ~ that 강조구문 사용
(1) trust를 it is와 that 사이에 위치하게 함.
(2) the winning goal을 it was와 that 사이에 위치하게 함.
(3) the price를 it is와 that 사이에 위치하게 함.

5 해석 여러분에게 제품과 서비스를 제공하는 사람들은 관대함으로 행동하는 것이 아니다. 몇몇 정부 기관이 여러분의 욕구를 충족시키도록 그들을 지도하고 있는 것도 아니다. 대신에 그들이 보답으로 무언가를 얻기 때문에 사람들은 여러분과 다른 소비자들에게 그들이 생산하는 제품과 서비스를 제공한다.

해설 • 부정어 Nor가 문두에 위치하므로 주어와 be동사를 도치
• 주어는 some government agency, 동사는 is directing이므로 be동사 is는 주어 앞에 위치

6 해석 많은 사람은 과거의 실패에 근거하여 미래에 일어날 수 있는 일들에 대해 생각하고 그것에 사로잡힌다. 예를 들어, 여러분이 전에 특정 분야에서 실패한 적이 있다면, 같은 상황에 직면할 때, 여러분은 미래에 무슨 일이 일어날지 예상하게 되고, 그래서 두려움이 여러분을 과거에 가두어 버린다.

해설 (A) 반복을 피하기 위해 생략된 주어 they 추가
(B) 부사절에서 축약된 「주어+be동사」 you are 추가

내신 대비 문제

p. 82

1 ③ 2 ⑤ 3 ④ 4 ⑤ 5 ③ 6 ④ 7 ②, ④
8 (A) that (B) that
9 (1) had these subjects been considered
(2) cursed himself for getting tricked by an old man
(3) When (you are) not clearly aware of the situation
10 (A) did I realize (B) myself
11 while simultaneously leaving the child alone

1 해석 Elizabeth 1세 여왕은 그녀의 국민들을 사랑했을 뿐만 아니라 또한 명성을 가졌다.

해설 ② 「not only A but also B」 구문에서 부정어 not only가 문두로 나오면 「Not only+조동사+주어+동사원형」 어순으로 도치됨. but also 이하 시제가 과거이므로 not only 이하의 시제도 과거이어야 함. 따라서 조동사를 did로 쓰고 동사 love를 원형으로 씀.

2 해석 ① 나는 내 스스로 그곳에 가 본 적이 없다.
② 어제 가방을 잃어버린 것은 바로 나였다.
③ 여기 그들이 논의할 필요가 있는 몇 가지 것들이 있다.
④ 그녀는 그를 보자마자 도망갔다.
⑤ 그는 나를 보자마자 경찰을 불렀다.

해설 ⑤ Hardly ~ when은 '~하자마자 …하다'라는 뜻의 도치 구문이며, 그가 나를 본 것이 경찰을 부른 것보다 먼저 일어난 일이므로 동사는 대과거 had seen이 되어야 함. did he have seen → had he seen

3 해석 ① 대체 내가 너를 위해 무엇을 해 주기를 바라는 거야?
② 시험 합격에 많은 노력을 한 사람이 바로 나였다.
③ 내가 그 연구 과제를 위해 몇몇 자료를 구입했던 것은 바로 어제였다.
④ 그들이 원숭이들을 연구하기 시작하고 나서야 그들은 인간의 많은 비밀을 발견했다.
⑤ 그녀는 그녀의 감정을 전혀 숨기지 못했다.

해설 ④ 주절이 과거 시제이므로 not until절에도 과거 동사 started를 써야 함.

4 해석 ⓐ 나는 그를 다시 볼 것이라 기대하지 못했다.
ⓑ 나는 절대 다시 돌아가고 싶지 않았다.
ⓒ Eddie가 길을 걷고 있을 때 그의 선생님을 만났다.
ⓓ 파리에서만 이런 제과점을 발견할 수 있다.
ⓔ 우리를 호되게 꾸짖는 사람은 바로 우리를 사랑하는 그들이다.

해설 ⓐ 부정어 Little이 문두에 있으므로 「조동사+주어+동사원형」 did I expect로 도치되어야 함.
ⓑ 부정어 Never가 문두에 있으므로 주어와 동사가 도치되었는데 조동사가 과거 시제를 나타내므로 본동사는 동사원형 want가 되어야 함.
ⓔ It is(was) that 강조구문이 되어야 하므로 That → It

5 해석 옛날 한 마을에 부자가 살았다. 그는 매우 불친절했고 그의 하인들에게 무자비했다. 어느 날 하인들 중 한 명이 음식을 요리하면서 실수를 했다. 부자가 음식을 봤을 때 화가 났고 그 하인에게 벌을 주었다.

해설 (A) 부사구가 문두에 있으므로 「동사+명사 주어」 어순으로 도치된 lived a rich man
(B) while he was cooking에서 「주어+be동사」가 생략된 「접속사+분사」 표현이어야 하므로 while cooking

6 해석 어떤 사람들은 그 슬리퍼가 Dorothy의 잠재력을 나타낸다고 말한다. 그녀는 그것을 가지고 있지만 그것을 어떻게 사용하는지 모를 뿐이다. 모든 모험 후에야 그녀는 그 슬리퍼의 힘을 활용할 수 있고 그녀가 원하는 것을 얻기 위해 그것을 사용할 수 있다.

해설 ④ Only 부사구가 강조되어 문두로 오면서 「조동사+주어+동사원형」으로 도치되어야 하고 전체 글의 시제가 현재이므로 she could가 아닌 can she로 수정

어휘 potential 잠재적인 tap into ~을 활용하다

7 해석 ① 내가 스스로 직접 이 기사를 썼다.
② 그는 기분이 나아지기 위해 스스로를 칭찬했다.
③ 너는 네가 먹고 싶은 것은 무엇이든 먹어도 된다.

④ 나는 플루트를 연주했고 인호는 바이올린을 연주했다.
⑤ 건강할 때 운동을 해라, 그렇지 않으면 아플 때 후회할 것이다.
해설 ② 재귀용법으로 쓰인 재귀대명사로 문장의 목적어이므로 생략 불가
④ 두 개의 동사가 같을 때에는 두 번째 나온 동사만 생략 가능

8 해석 우리 대부분은 열매, 즉 결과에 훨씬 더 많은 관심을 두고 초점을 둔다. 그러나 실제로 그런 특정한 열매를 만들어 내는 것은 무엇인가? 그런 열매를 만들어 내는 것은 바로 씨앗과 뿌리이다.
해설 (A)와 (B)가 속한 두 문장은 각각 It is ~ that 강조구문이며 (A)는 의문문에서 주어인 what을 강조, (B)는 주어 the seeds and the roots를 강조하고 있으므로 that 필요

9 해석 (1) 이전에는 이러한 대상들이 결코 화가들에게 적절하다고 여겨지지 않았다.
(2) 그는 그가 속여졌다는 것을 깨닫게 되어서 자신의 가게를 닫았고 노인에게 속은 것에 대해 스스로를 비난했다.
(3) 네가 상황을 명백히 인지하지 않고 있을 때면, 너는 바른 결정을 내리지 못할 수도 있다.
해설 (1) 부정어 Never가 강조되어 문두로 오면서 「조동사+주어+동사원형」 어순 도치
(2) 노인에게 속은 자신 스스로를 비난한 것이므로 him은 재귀용법의 재귀대명사 himself가 되어야 함.
(3) 부사절에서는 「주어+be동사」가 생략될 수 있으므로 동사 are를 생략하거나 주어 you를 추가

10 해석 어느 날 식료품 쇼핑 후에 나는 버스 정류장에 앉아 있었다. 버스가 도착했을 때, 나는 그냥 올라탔다. 집에 도착해서 집 열쇠를 찾으려고 했을 때 비로소 나는 내 지갑을 버스 정류장의 벤치에 두고 왔다는 것을 깨달았다. 한 달 치 모든 현금이 내 지갑에 들어 있었기 때문에 내 심장이 빠르게 뛰기 시작했다. "그 돈 없이 내가 어떻게 살아갈 수 있을까?" 나는 혼잣말을 했다.
해설 (A) 부정어 Not until이 강조되어 문두에 있고 주절의 동사가 문맥상 과거 시제의 일반동사이어야 하므로 「did+주어+동사원형」으로 도치
(B) 주어 I가 자신 스스로에게 하는 혼잣말이므로 재귀용법의 재귀대명사

11 해석 부모는 종종 그들이 많은 시간을 그들의 자녀들과 함께 보낸다고 주장할지도 모른다. 사실, 그들이 의미하는 것은 그들의 자녀들과 함께하는 것이 아니라 그들의 자녀들 가까이에 있는 것이다. 즉, 그들은 자녀들과 같은 방에 있지만, 텔레비전을 보거나, 독서를 하거나, 통화 중이거나, 이메일을 검토하거나, 또는 다른 손님들과 대화하고 있을지도 모른다. 필요한 것은 자녀들과 함께하는 적극적인 참여이다. 이것은 함께 독서하기, 함께 운동과 게임하기, 함께 퍼즐 맞추기, 함께 요리하고 먹기, 함께 토론하기, 그리고 함께 설거지하기를 의미한다. 다시 말해, 그것은 단순히 자녀와 함께 있으면서 동시에 자녀를 홀로 남겨두는 것이 아니라 그것은 자녀와 함께 활동에 적극적인 참여자이자 동반자가 되는 것을 의미한다.
해설 문맥상 while they(parents) are simultaneously leaving the child alone이 되어야 하며 「주어+be동사」를 생략할 수 있으므로 while simultaneously leaving the child alone의 6단어로 완성
어휘 proximity 가까움 engagement 참여 imply 의미하다

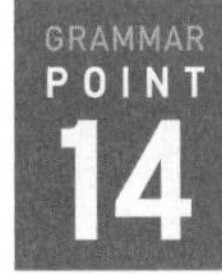

GRAMMAR POINT 14 비교

어법 확인 p. 85

A
1 × 2 ○ 3 × 4 × 5 ×

B
1 most difficult 2 interesting 3 hotter
4 do 5 higher

C
1 ⓑ → much / even / still / far / yet
2 ⓓ → that 3 ⓒ → creative 4 ⓑ → more

A

해석

1 William은 매일 연습을 해서 훨씬 더 나아졌다.
2 그녀는 자신이 기대했던 것보다 훨씬 더 일찍 공항에 도착했다.
3 수백만 년 전에는 인간의 얼굴이 오늘날 그런 것만큼 납작하지 않았다.
4 일부 과학자들은 어떤 것도 스트레스만큼 우리에게 해롭지 않다고 보고한다.
5 친구들은 비행기 여행이 고속도로 여행보다 훨씬 더 안전하다고 말했다.

해설

1 very는 원급 강조 부사로 비교급 수식 불가 very → much(even / still / far / yet / a lot)
2 much는 '훨씬'이라는 의미로 비교급 earlier를 강조
3 「as+형용사 원급+as」 flatter → flat
4 「as+형용사 원급+as」 very → as
5 생략 이전에는 접속사 than 다음에 is safe가 쓰여야 하지만 대개 대동사로 is를 쓰거나 반복된 부분을 생략함. travel does → travel is
|TIP| 비교급에서 as와 than은 어법상 접속사이므로 다음에 나오는 동사의 앞 내용과 반복될 경우 대동사로 표현 가능

B

해석

1 가장 어려운 것들 중 하나는 여러분 자신의 믿음에 도전하는 것이다.
2 영화를 만드는 것은 그것을 보는 것만큼 재미있다.
3 태양의 중심에 있는 불은 가장 더운 여름날보다 250,000배 더 뜨겁다.
4 경험은 습득이 그런 것(증가하게 하는 것)보다 훨씬 더 만족감을 증가시킨다.
5 내가 언덕을 높이 올라갈수록 바람은 더 세졌다.

해설

1 「one of the+최상급+복수 명사」
어휘 challenge 도전하다 belief 믿음
2 「as+형용사/부사 원급+as」 구문이 be동사의 보어 자리에 있으므로 형용사가 와야 함.

|TIP| 「as ~ as」 구문에서 형용사와 부사 중 어떤 것이 들어가야 하는지 확인할 때는 as를 빼고 문장의 동사와 해당 단어의 관계를 파악해야 함.

3 뒤에 비교급 접속사 than이 있으므로 비교급이 와야 함.

4 acquisitions 뒤에서 increase satisfaction을 대신해야 하므로 일반동사의 대동사 do가 와야 함.

어휘 acquisition 습득, 획득

5 「the+비교급, the+비교급」

C

해석

1 이미지는 말보다 여러분의 뇌에 훨씬 더 큰 영향을 미친다.

2 전자책 단말기의 사용자 비율은 컴퓨터 사용자 비율의 세 배만큼 높았다.

3 나는 Tim이 Steve보다 덜 창의적이라고 생각한다.

4 그보다 명성에 더 무관심하고 언론에 대해 더 불쾌해 한 사람은 없었다.

해설

1 ⓑ very는 원급 강조 부사. 비교급을 수식하는 부사 much, even, still, far 등으로 바꿔 써야 함.

2 ⓓ the percentage를 지칭하므로 단수 대명사 that으로 바꿔야 함.

3 ⓒ 열등 비교는 「less+형용사/부사 원급+than」으로 표현

4 ⓑ 「No other ~ is+비교급+than+...」 구문. 3음절 이상의 형용사를 비교급으로 만드는 부사는 more

어휘 indifferent 무관심한 fame 명성 publicity 언론

서술형 연습

p. 86

기출 예제 해석

이 도표는 2012년과 2013년 4개 주요 쌀 수출국의 수출량을 보여 준다. 2012년에는 어떤 나라도 인도보다 더 많은 쌀을 수출하지 않았다.(= 인도가 가장 많은 쌀을 수출했다.) 두 해 모두 파키스탄이 4개국 중에서 가장 적은 양의 쌀을 수출했다.

대표 유형 연습 + 빈출 유형 연습

1 (1) nothing is more important than
(2) practice is more important than

2 (1) more, than, all, the, other
(2) measurable, consumer, variable, more, distance, traveled

3 (1) more important (2) driving (3) were

4 (1) importantly → important
(2) are → do

5 (1) twice as heavy
(2) as many apples, possible(he could)
(3) one of the biggest lakes

6 the more difficult it is to be satisfied

1 **해석** 내가 어렸을 때, 나는 지나치게 성실했다. 하루는 선생님이 내게 오셔서 "기억해라, 어떤 것도 연습보다 중요하지 않지만, 너에게는 휴식도 필요하단다."라고 말씀하셨다.

해설 • 「nothing is as+형용사 원급+as」는 최상급 의미를 나타내는 원급 표현

• 최상급 의미를 나타내는 「Nothing is+비교급+than+명사」 표현과 「A is+비교급+than any other B(단수 명사)」 표현으로 전환

2 **해석** 상품 판매업자는 종종 뒷벽을 자석[사람을 끄는 것]으로 사용하는데, 이것은 사람들이 매장 전체를 걸어야 한다는 것을 의미하기 때문이다. 이것은 좋은 일인데, 이동 거리가 측정 가능한 다른 어떤 소비자 변수보다 판매량과 더 직접적으로 관련되어 있기 때문이다.

해설 • 「A+동사+비교급+than any other B(단수 명사)」는 최상급 의미를 나타내는 비교급 표현

• 최상급 의미를 나타내는 「A+동사+비교급+than all the other+B(복수 명사)」 표현과 「no other B(단수 명사)+동사+비교급+than+A」 표현으로 전환

3 **해석** (1) 어떤 이들은 몇 분 더 잠을 자는 것이 오트밀 한 그릇을 먹는 것보다 더 중요하다고 말한다.

(2) 소년은 울타리에 못을 박는 것보다 화를 참는 것이 더 쉽다는 것을 이해하기 시작했다.

(3) 학교 도서관에서 소리에 대한 염려는 과거에 그랬던 것보다 오늘날 훨씬 더 중요하고 복잡하다.

해설 (1) than이 있으므로 비교급이 되어야 하고 3음절 이상인 형용사이므로 「more+형용사 원급」 형태

(2) 비교 대상은 어법상 형태가 같아야 하므로 holding과 같이 동명사로 바꿈.

(3) than 뒤에 과거 시제를 나타내는 부사구 in the past가 있으므로 they were important and complex in the past의 의미가 되어야 하며 be동사 were를 대동사로 씀.

4 **해석** (1) 인터넷 혁명은 세탁기와 다른 가전제품들만큼 중요하지는 않았다.

(2) 우리의 고대 조상들과 더 유사한 생활 방식과 식이요법을 지닌 다른 그룹의 인간들은 미국인들이 가진 것보다 더 다양한 박테리아를 그들의 대장에 보유하고 있다.

해설 (1) 「as ~ as」 구문이 has not been의 보어 자리에 있으므로 형용사로 바꿔야 함.

(2) than 뒤에서 Americans have varied bacteria in their gut의 의미가 되어야 하므로 일반동사 have를 받는 대동사 do로 바꿔야 함.

5 **해설** (1) 뒤에 as가 있으므로 원급 비교 표현이 되어야 함. 「as+형용사 원급+as」

(2) as ~ as possible(주어+can): 가능한 한 ~하게

(3) one of the+최상급+복수 명사: 가장 ~한 … 중 하나

6 **해석** 사람들은 자신의 삶이 더 나아짐에 따라 더 높은 기대를 한다. 그러나 기대가 높아질수록, 만족하는 것은 더 어려워진다. 우리의 기대를 통제함으로써 우리가 삶에서 느끼는 만족감을 증가시킬 수 있다.

해설 「the+비교급+주어+동사, the+비교급+주어+동사」 (~하면 할수록, 더 …하다) 구문에서 the more difficult, 가주어 it, 동사 is, 진주어 to부정사 어순. the more difficult가 주격 보어이지만 앞으로 나간 형태임.

내신 대비 문제 p. 88

1 ⑤ 2 ④ 3 ⑤ 4 ①, ④, ⑤ 5 ② 6 ③
7 (1) as many characters as possible
(2) twice as much as elsewhere
(3) less expensive than the other one
8 the, farther, the, easier, it, is, to, negotiate

1 **해석** 지지를 얻기 위해 당신이 할 수 있는 최선들 중 하나는 다른 누군가를 먼저 지지하는 것이다.
해설 One of the+최상급+복수 명사: 가장 ~한 것 중 하나

2 **해석** Aiden이 유행에 대해 몰랐기 때문에 그의 그림은 Vicky의 것보다 덜 인기 있었다.
해설 ④ 비교 대상은 어법상 형태가 같으므로 Aiden's paintings와 같은 소유 대명사 형태 Vicky's로 쓰여야 함.

3 **해석** ① 여성의 기대 수명은 남성의 그것보다 더 길다.
② 베수비우스 산은 가장 위험한 화산들 중 하나로 간주된다.
③ Martin은 자신이 다른 도시로 이사한다면 인생이 훨씬 더 나아질 것이라고 생각했다.
④ 그는 돌아섰고 자신이 왔던 것만큼이나 빠르게 사라졌다.
⑤ 선의의 거짓말은 진실을 말하는 것보다 사람들에게 훨씬 상처를 준다.
해설 ⑤ 문맥상 '선의의 거짓말이 더 상처를 준다'는 의미가 되어야 하므로 「비교급+than」이 되어야 함. as → than
어휘 life expectancy 기대 수명 intention 의도

4 **해석** 금색 독 개구리는 지구상에서 가장 독성이 강한 동물로 간주된다.
해설 최상급의 의미를 나타내는 원급·비교급 표현
A+동사+the+최상급+B
= A+동사+비교급+than any other+B(단수 명사)
= A+동사+비교급+than all the other+B(복수 명사)
= No (other) B+동사+비교급+than A
= No (other) B+동사+as+원급+as A
어휘 poisonous 독성이 있는, 유독한

5 **해석** ① 자녀에 대한 부모의 사랑은 가장 강하다.
= 자녀에 대한 부모의 사랑만큼 강한 것은 없다.
② 독서는 가장 저렴한 오락이다.
= 어떤 독서도 오락보다 싼 것은 없다.
③ 세상에 있는 어떤 다른 의사소통 형태도 음악만큼 강력하지 않다.
= 세상에 있는 어떤 다른 의사소통 형태도 음악보다 더 강력하지는 않다.
④ 네가 할 수 있는 한 오래 숨을 참아라.
= 가능한 한 오래 숨을 참아라.
⑤ 정부는 작년에 그랬던 것에 비해 세 배만큼 많은 돈을 국방에 썼다.
= 정부는 작년에 그랬던 것보다 세 배 더 많은 돈을 국방에 썼다.
해설 ② 최상급의 의미를 나타내는 비교급 구문 중 No로 시작하는 구문으로 표현하려면 No other entertainment is cheaper than reading.으로 주어와 비교 대상이 바뀌어야 함.
어휘 national defense 국방

6 **해석** ⓐ 적정 체중인 배우자와 사는 과체중 환자들은 과체중인 배우자와 사는 환자들보다 현저히 더 많은 체중을 감소했다.
ⓑ 휘발유는 몇 년 전에 비해 두 배나 비싸다.
ⓒ 불안에 영향을 잘 받는 사람일수록, 그 혹은 그녀의 학업 성취도가 더 떨어진다.
ⓓ 눈에서 뇌로 이어지는 신경은 귀에서 뇌로 이어지는 그것보다 25배 더 크다.
ⓔ 30분 일찍 잠자리에 드는 것이 늦게 자고 아침을 거르는 것보다 나을 것이다.
ⓕ 표범상어의 가장 흥미로운 특징 중 하나는 뾰족한 끝이 3개 있는 이빨이다.
해설 ⓐ 비교 대상인 patients를 받는 대명사가 필요하므로 단수가 아닌 복수 대명사. that → those
ⓓ 비교 구문에서 be동사가 쓰였으므로 비교 내용이 보어이어야 함. 보어로 쓸 수 있는 형용사 large가 되어야 하고 3음절 이하이므로 more 대신 「-er」 형태로 바꿈. more largely → larger
ⓔ 비교 구문에서 비교 대상은 어법상 형태가 같아야 함. 동명사 주어 Going과 같은 형태인 동명사를 써야 함. sleep late and skip → sleeping late and skipping

7 **해설** (1) as+형용사 원급+as possible: 가능한 한 ~한
(2) 배수사+as+부사 원급+as: ~배 만큼 …하게
(3) less+형용사 원급+than: ~보다 덜 …한

8 **해석** 'Journal of Experimental Social Psychology'에 실린 한 연구는 협상을 더 원활하게 만드는 한 방법을 시사한다. 이 연구에서, 온라인 메신저를 통해 오토바이의 구매를 협상했던 대학생들이 자신이 물리적으로 (15 마일 넘게) 멀리 떨어져 있다고 믿을 때, 참여자들이 (몇 피트) 더 가까이 있다고 믿을 때보다 협상이 더 쉬웠고 더 많은 타협을 보였다. 연구자들은 사람들이 더 멀리 떨어져 있을 때 덜 중요한 것들에 매달리기보다 주요 사안들에 집중하며 요인들을 좀 더 추상적인 방식으로 고려한다고 설명한다.
➡ 한 연구에 따르면, 협상 대상과 당신이 더 멀리 있을수록, 협상하는 것이 더 쉽다.
해설 형용사 far와 easy를 「the+비교급」으로 쓰고, 두 번째 「the+비교급」에는 주어와 동사를 쓰는데 가주어 it, 진주어 to부정사 구문을 사용함.

GRAMMAR POINT 15

수 일치

어법 확인 p. 91

A

1 ○ 2 × 3 × 4 × 5 ○

B

1 is 2 was 3 are 4 our 5 those

C

1 ⓓ → have often experienced

2 ⓔ → is

3 ⓓ → those of

4 ⓒ → were made

A

해석

1 나는 두 개의 사과를 먹었고 그것들은 맛있었다.
2 직원들의 대부분은 그들의 급여에 만족했다.
3 너의 목소리는 Richard의 그것(목소리)보다 더 낮다.
4 내가 지금까지 들었던 최고의 노래 중 하나는 뮤지컬 'Wicked'에 나오는 'Defying Gravity'이다.
5 항상 젤리를 먹는 Tom은 놀랍게도 날씬하다.

해설

1 가리키는 대상이 복수 명사 apples이므로 복수 대명사 they가 와야 하고 동사 역시 복수 동사 were
2 「most of+명사」는 뒤의 명사에 수를 일치시키므로 복수 명사 employees에 알맞은 복수 동사 필요 was → were
3 비교하는 앞의 명사(Your voice)와 수 일치해야 하므로 단수이어야 함. those of Richard → that of Richard
4 「one of+복수 명사」는 단수 취급 are → is
5 주격 관계대명사절의 동사는 선행사(Tom)에 일치하므로 eats, 관계사절이 주어(Tom)를 수식하는 경우 문장의 동사는 주어에 수를 일치시키므로 is

B

해석

1 건강한 것은 인생에서 가장 중요한 것 중 하나이다.
2 관광객들의 수는 2013년에 10만 명을 넘었다.
3 여러분이 봄에 즐길 수 있는 몇몇 흥미로운 축제들이 있다.
4 우리는 자라나면서 우리의 언어를 매우 서서히 배운다.
5 너의 경험들은 Jasmine의 그것들보다 더 재미있다.

해설

1 주어가 동명사구이므로 단수 동사
2 「the number of+복수 명사」는 단수 취급하고 in 2013이 과거를 나타내므로 단수형 과거 동사
3 Here 도치 구문에서 동사는 뒤의 명사에 수 일치시키므로 복수 명사 festivals에 알맞은 복수 동사 필요. 문장의 시제가 현재이므로 3인칭 복수 현재 동사
4 we의 소유격 인칭대명사
5 비교 대상이 experiences로 복수이므로 대명사 복수형

C

해석

1 성공한 사람들은 많은 실패를 종종 경험했다.
2 그것은 그들이나 그나 틀렸다는 것을 의미한다.
3 우리 제품은 다른 회사들의 그것들보다 더 오래간다.
4 Edison에 의해 만들어진 발명품들은 세계를 변화시켰다.

해설

1 ⓓ 관계사절이 수식하는 주어가 복수인 People이므로 복수 동사
2 ⓔ 「either A or B」 구문에서는 B에 수 일치하므로 B에 해당하는 he에 맞춰 단수 동사
3 ⓓ 비교 대상이 products로 복수이므로 대명사 복수형
4 ⓒ 주격 관계대명사절의 선행사가 주어 The inventions로 복수이므로 복수 동사

서술형 연습 p. 92

기출 예제 해석

학교 과제는 전형적으로 학생들이 혼자 할 것을 요구해 왔다. 이러한 개별 생산성의 강조는 독립성이 성공의 필수 요인이라는 의견을 반영했다. 타인에게 의존하지 않고 자신을 관리하는 능력을 가지는 것이 모든 사람에게 요구되는 것으로 간주되었다. 따라서 과거의 선생님들은 모둠 활동을 덜 하거나 학생들이 팀워크 기술을 배우는 것을 덜 권장했다.

어휘 assignment 과제, 숙제 typically 전형적으로 requirement 요구, 필요

대표 유형 연습 + 빈출 유형 연습

1 have → has
2 are → is
3 두 번째 were → was
4 (A) are (B) is
5 ⓐ → which allows it to travel
6 (A) the most recent ones
(B) is not more revolutionary

1 해석 실리콘 밸리에서 가장 혁신적인 회사들 중 한 회사의 최고 경영자는 지루하고 창의력을 해치는, 판에 박힌 일처럼 보이는 것을 한다. 그는 일주일에 하루, 오전 9시에 시작하는 3시간짜리 회의를 한다.
해설 주어가 단수인 One CEO이므로 단수 동사 has
2 해석 그저 학생에게 복잡한 글을 제공하는 것으로는 학습이 일어나기에 충분하지 않다. 양질의 질문은 교사가 학생의 글에 대한 이해를 확인할 수 있는 한 가지 방법이다. 질문은 학생들의 이해를 심화시키기 위해 그들의 증거 탐색과 글로 되돌아가야 할 필요를 또한 촉진시킬 수 있다.
해설 providing은 동명사로, 동명사구 주어는 3인칭 단수 취급하므로 동사는 단수 동사 is

3 해석 상황이 악화되고 있을 때 이 모든 사람들을 계속하게 했던 것은 자신들의 주제에 대한 열정이었다. 그러한 열정이 없었더라면, 그들은 아무것도 이루지 못했을 것이다.

해설 관계대명사 What이 이끄는 절이 주어인 경우 단수 취급하므로 동사는 단수 동사 was

|TIP| 첫 번째 be동사 were는 when절의 동사이므로 주어 things에 대한 복수 동사

4 해석 모든 진정한 예술가들은 생각이 없는 상태, 즉 내적인 고요함에서 창작을 한다. 심지어 위대한 과학자들조차도 그들의 창의적인 돌파구는 정신적으로 정적인 시간에 생겨났다고 말했다. 나는 대다수의 과학자들이 창의적이지 않은 단순한 이유는 그들이 생각하는 방법을 몰라서가 아니라 생각을 멈추는 방법을 모르기 때문이라고 생각한다.

해설 (A) 주어가 the majority of scientists로 복수이고 문장의 시제가 현재이므로 복수 동사 현재형

(B) 주어가 why ~ creative가 수식하고 있는 the simple reason으로 3인칭 단수이고 문장의 시제가 현재이므로 단수 동사 현재형

5 해석 플라스틱은 매우 느리게 분해되고 물에 뜨는 경향이 있는데, 이것은 플라스틱이 해류를 따라 수천 마일을 돌아다니게 한다. 대부분의 플라스틱은 자외선에 노출될 때 더 작은 조각으로 분해되고 미세 플라스틱을 형성한다. 이런 미세 플라스틱은 그것을 수거하는 데 일반적으로 사용되는 그물망을 통과할 만큼 충분히 작아지면, 측정하기에 매우 어렵다. 해양 환경과 먹이 그물에 미치는 미세 플라스틱의 영향은 아직도 제대로 이해되고 있지 않다.

해설 ⓐ 돌아다니는 주체는 Plastic으로 단수이므로 대명사도 단수가 되어야 함. 앞 문장 전체를 받는 계속적 용법으로 쓰인 관계대명사 which는 단수 취급하므로 allows는 맞음.

6 해석 변화를 인식할 때, 우리는 가장 최근의 것들을 가장 혁명적인 것으로 여기는 경향이 있다. 이것은 자주 사실과 일치하지 않는다. 전기 통신 공학 기술에 있어서 최근의 발전이 상대적인 면에서 19세기 말에 일어났던 것보다 더 혁명적인 것은 아니다.

해설 (A) 최상급이 되어야 하므로 「the most+형용사」를 쓰며, 대명사 '것들'은 changes를 가리키는 복수 부정대명사 ones로 바꿔 써야 함.

(B) 주어가 progress로 단수이므로 단수 동사 is를 쓰고 그 뒤에 부정어 not을 씀. 뒤에 비교급을 나타내는 than이 있으므로 비교급 부사 more를 쓴 뒤 형용사 revolutionary를 씀.

내신 대비 문제

p. 94

1 ③ 2 ④ 3 ④ 4 ⑤ 5 ② 6 ④ 7 ①, ⑤ 8 ⑤

9 (1) ×, are → is (2) ×, are → is

(3) ○ (4) ×, has → have

10 was twice as large as that of the 15 – 17 age group

11 One of the most essential decisions is

1 해석 이제 우리가 너와 나 둘 다 옳다는 것을 알고 있으니 논쟁을 멈추자.

해설 ③ both A and B는 복수 취급하므로 are

2 해석 지구 표면의 3분의 2는 물이다.

해설 ④ 「부분 표현+명사」는 명사에 수 일치하므로 the surface에 맞춰 단수 동사 is

3 해석 각각의 등장인물은 독특하고 흥미롭다.

해설 ④ 「each+명사」는 단수 취급하므로 is

4 해석 ① 모든 사람들은 숨을 내쉴 때 이산화탄소를 만든다.

② 그들이 주고 있다는 것을 아는 것이 그들을 기분 좋게 한다.

③ 부모님에게 지나치게 의존하는 것이 모든 종류의 문제를 만든다.

④ 나는 아빠가 아침을 만들 때까지는 일어나 있을 것이다.

⑤ Janet도 나도 우리가 도서관에 있을 때 소음을 내지 않는다.

해설 ⑤ 「neither A nor B」는 B에 수 일치하므로 I에 알맞은 현재 동사 make

① 「every+명사」는 3인칭 단수 취급하고 과학적 사실을 말하므로 3인칭 단수 현재 동사 makes

②, ③ 동명사구 주어는 3인칭 단수 취급하고 현재 사실을 말하므로 3인칭 단수 현재 동사 makes

④ by the time이 '~할 때 까지는'의 의미로 시간 부사절 접속사처럼 쓰여 현재 시제로 미래를 대신함. 주어가 my dad로 3인칭 단수이므로 3인칭 단수 현재 동사 makes

5 해석 ⓐ 그는 그것이 나의 것인 줄 알았으면서도 내 머핀을 먹었다.

ⓑ 그것이 취미를 가진 이들이 다른 사람들보다 더 행복해 보이는 이유이다.

ⓒ 낙관적인 영업 사원들은 비관적인 이들보다 더 잘 팔았다.

ⓓ 가족들과 함께 지냈던 고양이들이 혼자 지냈던 것들보다 더 건강했다.

ⓔ 날마다 해야 하는 많은 학업이 지루할지라도 여러분은 그것을 계속해야 한다.

ⓕ 이 행성의 반대편에 있는 사람들은 배고픔에 고통 받고 있고 그것은 나를 슬프게 한다.

해설 빈칸은 모두 대명사가 올 자리임.

ⓐ 가리키는 대상이 muffin으로 단수이므로 it(that)

ⓑ 가리키는 대상이 people로 복수이므로 those

ⓒ 비교하는 대상이 Salespeople로 복수이므로 those

ⓓ 비교하는 대상이 Cats로 복수이므로 those

ⓔ 가리키는 대상이 a great deal of day-to-day academic work로 단수이므로 it

ⓕ 가리키는 대상이 앞 절 전체로 단수로 받아야 하므로 it(that)

6 해석 모든 사람은 '세상 물정'에 매우 밝지만 학교에서는 부진한 어떤 젊은이를 알고 있다. 우리는 삶에서 매우 많은 것에 대해 매우 똑똑한 사람이 그 똑똑함을 학업에 적용할 수 없는 것처럼 보이는 것이 낭비라고 생각한다. 우리가 깨닫지 못하는 것은 학교와 대학이 그러한 세상 물정에 밝은 사람들을 끌어들여 그들을 뛰어난 학업으로 안내해 줄 기회를 놓치는 잘못을 하고 있을지도 모른다는 것이다.

해설 (A) 빈칸에 들어갈 동사가 is와 병렬 구조를 이루며 주격 관계대명사의 선행사가 a young person으로 단수이므로 단수 동사 does

(B) 주어가 관계대명사 What이 이끄는 절로 단수 취급하므로 단수 동사 is

어휘 impressively 매우, 인상적으로 fault 실수

7 해석 ① 많은 새들이 하늘을 날고 있었다.

② 이 도서관의 책들 중 한 권은 나에 의해 기증되었다.
③ 서쪽에 있는 부분이 동쪽에 있는 그것보다 더 넓었다.
④ 사람들에게 가장 중요한 보상은 그들의 친구들로부터의 칭찬이다.
⑤ 포도와 건포도의 유일한 차이점은 포도가 안에 더 많은 물을 가지고 있다는 것이다.

해설 ①「a number of+명사」는 '많은 ~'의 뜻으로 복수 취급하므로 복수 동사 필요 was → were
⑤ 주어가 The only difference로 단수 동사 필요 are → is

어휘 reward 보상 raisin 건포도

8 해석 사람이 원하는 삶을 얻는 것은 간단하다. 하지만 대부분의 사람들은 그들의 최선보다 덜한 것에 안주하는데 그들이 하루를 제대로 시작하지 못하기 때문이다. 만약 어떤 사람이 하루를 긍정적인 사고방식으로 시작한다면, 그 사람은 긍정적인 하루를 보낼 가능성이 더 높다. 게다가 어떤 사람이 하루를 어떻게 접근하는가는 그 사람 삶의 다른 모든 부분에 영향을 끼친다.

해설 ⑤ 주어가 how ~ day절이므로 동사는 단수 동사 impacts

9 해석 (1) 요즈음, 비만 아동의 수가 증가하고 있다.
(2) 행복해지는 주요한 요소들 중 하나는 좋은 기억력이다.
(3) 이미 갖고 있는 것을 아는 것이 갖고 있지 않은 것을 아는 것보다 더 중요하다.
(4) 세상의 중요한 업적 중 대부분은, 희망이 전혀 보이지 않는 상황에서도 끊임없이 시도한 사람들이 이룬 것이다.

해설 (1)「the number of+복수 명사」는 '~의 수'라는 의미로 단수 취급
(2)「one of+복수 명사」는 '~중의 하나'라는 의미로 단수 취급
(4)「most of+명사」는 뒤에 나오는 명사(important things)에 수 일치시킴. 복수 명사가 왔으므로 복수 동사

10 해석 2012년과 2014년에 적어도 일주일에 5일 이상 재미로 책을 읽는 다양한 연령 집단에 있는 아이들의 비율을 보여 주는 연구가 있다. 그 연구에서 두 해 모두에 6-8세 집단의 비율이 첫 번째였고, 9-11세 집단이 뒤를 이었다. 2012년에 6-8세 집단의 비율은 15-17세 집단의 그것보다 두 배로 컸다.

해설 과거 동사가 필요하고 주어가 the percentage로 단수이므로 be를 was로 바꿈. 원급 비교 표현과 배수사 표현을 활용하여 twice as large as를 쓰고, the percentage를 가리키는 대명사 that을 쓴 다음 뒤에 of the 15-17 age group을 이어서 씀.

11 해석 가장 필수적인 선택 중 하나는 우리가 어떻게 시간을 투자하는가이다. 물론 우리가 어떻게 시간을 투자하는지는 혼자 내릴 결정은 아니다. 우리가 인류의 구성원이기 때문에 또는 우리가 특정한 문화와 사회에 속해 있기 때문에 많은 요인들이 우리가 해야 할 것을 결정한다.

해설 '가장 ~한 … 중 하나'는「one of the most+형용사+복수 명사」로 표현하므로 one of the most essential을 쓰고 decision을 복수 decisions로 씀.「one of+복수 명사」는 단수 취급하므로 be동사를 단수형 is로 바꿈.

어휘 invest 투자하다 factor 요인 human race 인류
belong to ~에 속하다

고등 영어
어법
서술형

it's perfect

수능 영어를 완벽하게 만드는 it 아이템

LISTENING it

수능 유형별 집중 학습에 충실한
듣기 · 말하기 유형 완전 해부

- **유형 기본편 12회**
  수능 유형별 집중 학습을 위한 기본 Listening
- **유형 종합편 25회**
  핵심 어구 집중 연습을 활용한 Listening
- **모의고사 18회**
  수능 듣기 빈출 동사구를 활용한 Listening
- **모의고사 38회**
  수능 출제 유력 스크립트로 구성한 Listening

READING it

전 지문 '글의 구조' 도식화를 통한
전략적 독해 다지기

- **독해 완성 12회**
- 수준별 맞춤형 학습을 위한 3단계 Reading 모의고사
- 수능 어법을 통한 지문 속 구문 복습
- 한눈에 보는 '글의 구조' 도식화 + '어법·구문' 분석

지학사